S0-BFD-527

Ein Flüchtling betritt die Ausländerbehörde, um ein letztes Mal seine Sachbearbeiterin aufzusuchen. Karim Mensy ist wütend und hat nur einen Wunsch: dass ihm endlich jemand zuhört. Vor drei Jahren ist der Iraker aus dem Transporter eines Schleppers gesprungen und wähnte sich in Frankreich – er war aber in der bayrischen Provinz. Drei bizarre Jahre, in denen Karim sich eine neue Lebensgeschichte erfinden muss, durch Formulare, Gelegenheitsjobs und Asylunterkünfte kämpft, auf fragwürdige Freunde einlässt und auf abenteuerliche Liebschaften. Doch mit der Ablehnung seines Asylantrages steht Karim wieder vor dem Nichts. Abbas Khider stellt unser Selbstverständnis einer offenen Gesellschaft in Frage - stimmgewaltig, tieftraurig und voller Witz.

Abbas Khider wurde 1973 in Bagdad geboren. Mit 19 Jahren wurde er wegen seiner politischen Aktivitäten verhaftet. Nach der Entlassung floh er 1996 aus dem Irak und hielt sich als »illegaler« Flüchtling in verschiedenen Ländern auf. Seit 2000 lebt er in Deutschland und studierte Literatur und Philosophie in München und Potsdam. 2008 erschien sein Debütroman »Der falsche Inder«, es folgten die Romane »Die Orangen des Präsidenten« (2011), »Brief in die Auberginenrepublik« (2013) und »Ohrfeige« (2016). Er erhielt verschiedene Auszeichnungen, zuletzt wurde er mit dem Nelly-Sachs-Preis, dem Hilde-Domin-Preis und dem Adelbert-von-Chamisso-Preis geehrt. Außerdem ist er zum Mainzer Stadtschreiber für das Jahr 2017 gewählt worden. Abbas Khider lebt in Berlin.

ABBAS KHIDER

OHRFEIGE

Roman

btb

Die Arbeit an diesem Roman wurde durch das Berliner Senatsstipendium gefördert.

Verlagsgruppe Random House FSC® N001967

1. Auflage
Genehmigte Taschenbuchausgabe September 2017
btb Verlag in der Verlagsgruppe Random House GmbH,
Neumarkter Str. 28, 81673 München

Umschlaggestaltung: semper smile, München
nach einem Entwurf von Peter-Andreas Hassiepen, München
Covermotiv: © Quagga Media UG/akg-images (*Schwimmhäute an der Menschenhand*)
Druck und Einband: GGP Media GmbH, Pößneck
cb· Herstellung: sc
Printed in Germany
ISBN 978-3-442-71490-2

www.btb-verlag.de
www.facebook.com/btbverlag
Besuchen Sie auch unseren LiteraturBlog www.transatlantik.de

FÜR ORFEAS

ABBAS KHIDER

OHRFEIGE

STUMM UND STARR VOR ANGST hockt sie in ihrem Drehstuhl, als hätte die Ohrfeige sie betäubt.

»Sie ruhig sind und bleiben still!«

Ich greife nach dem Packband in meiner Jackentasche, fessle ihre Hände an die Armlehnen und die Fußgelenke an die Stuhlbeine. Mit mehreren Streifen klebe ich ihren rot geschminkten Mund zu.

»Nix ich will hören!«

So langsam beginne ich, mich zu entspannen. Ich setze mich ihr gegenüber auf den Besucherstuhl, nehme mir ein Blatt Papier von ihrem Schreibtisch, mische etwas Hasch in meinen Tabak und drehe mir eine Zigarette. Ich zünde sie an und atme tief ein. Ganz genüsslich.

Das Papier schmeckt verbrannt und im ersten Moment will ich würgen, aber ich zwinge mich dazu, diese besondere Zigarette zu genießen. Ich ziehe daran, als wolle ich sie aussaugen, inhaliere den Rauch bis tief in meine Lungen und freue mich über den leicht brennenden Schmerz in meiner Brust. Ich fühle mich so lebendig wie schon lange nicht mehr.

Ich stehe auf, beuge mich zu ihr, gehe ganz dicht an sie heran und puste ihr den Rauch mehrmals mitten ins Gesicht. Da ihr Mund zugeklebt ist, muss sie den Qualm durch die Nase einatmen. Sie versucht den Kopf wegzudrehen und muss so sehr röcheln, dass sich das Klebeband auf und ab wölbt. In einer Behörde zu kiffen, das fühlt sich irrsinnig gut an.

»Frau Schulz, wir reden zusammen. Ich wollte immer, und Sie haben keine Zeit oder Wille für mich, wenn ich vor Ihrem Zimmer warten. Jetzt endlich ist so weit! Ob Sie wollen oder nicht, wir reden. Aber Deutsch ist schwer für mich und will ich viele Sachen erzählen. Ich muss Arabisch mit Ihnen reden, so ich kann frei reden. Leider!«

Ich will mich nicht länger durch die deutsche Sprache quälen, durch diesen Dschungel aus Fällen und Artikeln, die man sich nie merken kann. Es ist natürlich Quatsch, jetzt mit ihr Arabisch zu sprechen, aber was soll's. Auch wenn Arabisch ihre Muttersprache wäre, würde sie mich nicht verstehen. Sie stammt aus einer ganz anderen Welt als ich. Ein Erdling spricht gerade mit einem Marsianer. Oder umgekehrt.

Das hier ist für mich eher wie die christliche Beichte, die ich mir einmal habe erklären lassen. Dabei sitzt man auch auf einem Stuhl in einem viel zu kleinen Raum. Auf jeden Fall kann ich mir jetzt meine Sorgen von der Seele reden.

Also, meine erste Frage: Wie lautet Ihr Vorname?

Sind Sie eine Sabine oder eine Anne-Marie? Sitzt dort vielleicht eine Astrid vor mir? Oder soll ich Sie Inge nennen? Ach, ich habe fast vergessen, dass Sie mir gar nicht antworten können. Aber nicken geht doch, oder? Also nicken Sie, wenn ich recht habe. Anita, Katharina, Ursula?

Nachnamen schaffen so eine Distanz zwischen den Menschen. Es ist interessant, wenn man jemandem wie Ihnen plötzlich einen Rufnamen gibt. Es ist, als würde ich

Gott einen Vornamen geben. Wenn Allah einen Vornamen hätte, wäre er auch weniger einschüchternd. Amir Allah oder Wilma Allah klingt schon wesentlich sympathischer, finden Sie nicht?

Sie, Frau Schulz, gehören zu jenen, die hier darüber entscheiden, auf welche Weise ich existieren darf oder soll. Stellen Sie sich umgekehrt mal vor, in meiner Position zu sein. Würden Sie nicht gern wissen, wie diese gottesgleiche Figur mit Vornamen heißt? Jene Person, die Ihr Leben nach eigenem Gutdünken paradiesisch oder höllisch gestalten kann?

Wenn Sie sich jetzt sehen könnten!

Noch vor wenigen Minuten saßen Sie brav dort hinter Ihrem Schreibtisch verschanzt. Den Flachbildschirm wie einen Schild vor Ihrem Gesicht und den Oberkörper geschützt durch Aktenberge. Immer wieder fuchtelten Sie mit Ihrem spitzen Füller in der Luft herum, als würden Sie Fliegen erstechen. Und mit dem Gewicht Ihres übertrieben großen Stempels erdrückten Sie Hoffnungen. Wie der Hammer eines Richters krachte er auf Ihren Tisch.

Und jetzt?

Da sind Sie. Hilflos. Verschnürt wie ein Paket. In Ihrem teuren schwarzen Lederstuhl. Sie waren eine Göttin. Eine Naturgewalt, die Macht über andere Menschen hat. Ich war Ihnen ausgeliefert. Aber wie ein mythischer Held habe ich mich erhoben und den Olymp erstürmt. Und ich werde Sie bald zurücklassen in Ihrem kleinen Beamtenstübchen. Dann sitzen Sie hier, einsam wie ein Schöpfer, dessen Kreaturen ihn vergaßen. Ein Gott, an den keiner glaubt, existiert nicht. Das gilt auch für Göttinnen. Ich werde Sie zurücklassen und in ein fernes Land gehen.

Sie wissen ganz genau, wer ich bin. Ich bin einer der vielen, deren Akten Sie gelesen und bearbeitet haben, um sie wieder abzulegen.

Karim Mensy heiße ich. Hallo.

Wieder einer dieser ausländischen Namen, die man sich schwer merken kann. Für Sie war ich wohl Asylant 3873 oder so. Nicht mehr wert als die Nummern, die ich ziehen musste, um zu warten. Es war ein sinnloses Warten, das ich nur auf mich genommen habe, weil ich die Hoffnung hatte, Verständnis zu erfahren und eine Chance zu bekommen. Stattdessen wurde ich immer wieder fortgeschickt. Auswendig kenne ich Ihre Sprüche, doch bitte noch irgendeinen neuen Nachweis zu erbringen. Und immer musste ich warten, selbst in meinen nächtlichen Träumen. Sogar auf Wartenummern habe ich da schon gewartet. Hier, sehen Sie mal! In meiner Hosentasche habe ich noch eine.

Ich habe Ihnen angesehen, dass Sie sich nicht an mich erinnert haben, als ich eben hereinmarschiert bin. Aber das ist auch kein Wunder, denn im Laufe der letzten Jahre habe ich mich stark verändert. Früher war ich mollig und hatte ein unrasiertes Kinn. Wie Sie sehen, trage ich jetzt keinen Bart mehr. Seit dem 11. September wäre es töricht, so bärtig wie Osama bin Laden herumzulaufen. Seither laufen alle arabischen Männer mit glatt rasierten Gesichtern herum, sie sehen aus wie Babypopos. Und schauen Sie mal, wie weit meine Kleider geworden sind. Die harte Arbeit auf der Baustelle ist die beste Methode, um abzunehmen.

Heute bin ich mit der Absicht zu Ihnen gekommen, mich einfach mal mit Ihnen von Mensch zu Mensch in aller Ruhe zu unterhalten. Worüber? So genau weiß ich das selbst nicht. Eigentlich wollte ich schon vor drei Wochen bei Ihnen vorbeikommen. Ich wollte noch ein letztes Mal von München nach Niederhofen an der Donau fahren, bevor ich Deutschland für immer verlassen muss. Um mich von meinen Freunden zu verabschieden – und von Ihnen, Frau Schulz. Das war an einem Freitag. Die Polizisten kreisten wie üblich am Münchner Hauptbahnhof wie die Geier auf der Suche nach verfaultem Fleisch. In ihren beigegrünen Uniformen marschierten sie auf und ab und glotzten prüfend in das Gesicht jedes Passanten.

Lange stand mein Freund Salim vor der großen Anzeigetafel in der Haupthalle, beobachtete die Bullen für mich und telefonierte ständig mit mir, um von der aktuellen Situation an den Gleisen zu berichten.

Die Zeit raste davon und mein Zug sollte schon in fünfzehn Minuten abfahren. Ich weiß nicht, was größer war – die Angst, den Zug zu verpassen, oder die Angst, verhaftet zu werden kurz bevor ich den Zug erreiche. Mein Standort jedenfalls war perfekt gewählt. Das bayerische Restaurant Mongdratzerl liegt mitten in der Bahnhofshalle und verfügt über einen Ausgang an der Nordseite hinaus zur Arnulfstraße. Ich konnte gleichzeitig die Halle beobachten und die Straße vor dem Bahnhof. Bei sich anbahnender Gefahr hätte ich sofort das Weite suchen können.

Ein neuerliches Klingeln meines Handys riss mich aus meinen Gedanken.

»Ich bin's«, sagte Salim. »Gott, als ob diese Bullen wüssten, dass du hier bist. Sie denken nicht daran, den Bahnsteig zu verlassen. Die wandern hin und her wie aufgezogene Spielzeugroboter.«

Vor mir auf dem Tisch standen ein Becher Kaffee und ein zur Hälfte gefülltes Glas Wasser. Mein Rucksack lag unter dem Stuhl. Unkonzentriert blätterte ich in der *Süddeutschen Zeitung*, nur hin und wieder auf eine fette Schlagzeile starrend. Dabei hielt ich sie wie in einem alten Agentenfilm so hoch, dass sie mein Gesicht vollständig verdeckte, nur um sie in regelmäßigen Abständen wie zufällig bis knapp unter die Augen zu senken, damit ich einen Blick über den Rand werfen konnte. Ich musste die Umgebung ständig im Blick behalten, um rechtzeitig zu erkennen, ob sich mir jemand näherte. Ich erschrak jedes Mal, wenn sich die Kellnerin anschlich und plötzlich neben mir auftauchte, um zu fragen, ob alles zu meiner Zufriedenheit sei.

Die Tarnung als Lesender hat schon an vielen Bahnhöfen funktioniert. Normalerweise beachten mich die Polizisten dann nicht. Offensichtlich denken sie, dass ein Illegaler aus einem dieser unterentwickelten Länder sicher nicht lesen kann. Mit der *Süddeutschen Zeitung* in der Hand trägt man als Illegaler in Bayern gewissermaßen Tarnfarben.

Ach, Frau Schulz, das bringt mich auf meinen Sprachkurs hier in Niederhofen. Unsere Lehrerin Frau Müllerschön riet uns, täglich Zeitung zu lesen. Zuerst sollten wir uns die *BILD* vornehmen, denn darin seien die Sätze eingängig, aber sobald uns die zahlreichen grammatikalischen Fehler eigenständig auffielen, sollten wir mit der Lektüre der *Süddeutschen* beginnen. Ich entdeckte nie einen sprachlichen Schnitzer in der *BILD*, ich fand sie perfekt zum Deutschlernen. Trotzdem stieg ich irgendwann notgedrungen auf die *SZ* um, obwohl ich deren Artikel bis heute kaum verstehe. Einerseits war es mir irgendwie peinlich, die *BILD*-Zeitung mit mir herumzutragen, besonders wegen ihres lausigen Rufes. Andererseits bemerkte ich, dass die Leute aus meinem Bekanntenkreis, ob in den Regionalzügen, bei der Arbeit oder in den Cafés, Zeitungen wie die *Süddeutsche* nicht lesen. Diese blättern in der *BILD*-Zeitung, wo es wenig Text und dafür viele Fotos von nackten Frauen und Männern gibt, die echte Hingucker sind.

Ich habe mich also an die *SZ* gewöhnt oder zumindest daran, mich hinter ihr zu verstecken und so zu tun, als schmökere ich in ihr. Ich spiele die Rolle eines wissbegierigen Bürgers und man nimmt sie mir anscheinend ab. Die Bullen würden niemals einen Gast behelligen, der in einem Café oder Wirtshaus eine gescheite Zeitung liest. Keiner der unzähligen Polizisten, denen ich in den letzten Monaten begegnet bin, kam in einer solchen Situation auf die Idee, mich nach meinem Ausweis zu fragen. Solange man den Schein wahrt und den Erwartungen der Menschen entspricht, ist man in München absolut sicher.

Irgendwann erblickte ich durch die Glastür des Restaurants rot gekleidete Bayern-Fans in der Bahnhofshalle. Sie wirkten berauscht und rannten grölend und lachend in Richtung der U- und S-Bahn-Station. Zwei Polizisten folgten der Truppe wie Wölfe, die sich an ihre Beute anschleichen. Doch anstatt zuzuschlagen, verschwand einer der beiden Beamten in einem Tabakladen. Sein Kollege widmete sich unterdessen ein paar langhaarigen Jungs und Mädels, die in zerrissenen Jeans und T-Shirts mit dem Anarchiezeichen zwischen einigen Rucksäcken und Musikinstrumenten vor einer Buchhandlung herumlungerten. Bis ins Lokal hörte ich das Gebrüll des Polizisten.

»Stehen Sie sofort auf! Gehen Sie in den Wartesaal! Wie anständige Menschen! Aber gammeln Sie nicht hier vor den Geschäften rum!«

Abermals zog ein Tross Bayern-Fans vorbei, singend, johlend, noch lauter als der davor. Die Punk-Gruppe erhob sich umständlich. Eines der Mädchen begann nervös zu werden und raffte schnell seine Sachen zusammen, nachdem es zuvor eher übertrieben selbstbewusst und desinteressiert gewirkt hatte. An ihm baumelte allerlei Schmuck, sein Haar schimmerte in mindestens fünf verschiedenen Farben, und es sah aus wie ein zerrupfter Christbaum. Als es aufstand, fasste der Polizist es mit einem Mal am Handgelenk und zog seinen Arm nach hinten. Die Kleine hielt krampfhaft ihre Hand zur Faust geballt, doch der Polizist bog langsam ihre Finger zurück, bis sie aufgab. Sie hatte wohl irgendetwas in ihrer Hand versteckt, denn kurz darauf wurde sie abgeführt. Als die Fußballfans das sahen, wankten sie auf die Beamten zu, redeten auf sie ein und fuchtelten mit ihren Bierdosen in der Luft herum. Der zweite Polizist war mittlerweile aus dem Tabakladen zurückgekehrt und baute sich vor den Fußballfans auf, um sie wie eine schildbewehrte Hundertschaft bei einer Demonstration zurückzudrängen. Als diese jedoch ihrerseits anfingen laut zu brüllen, nahm der Bulle sein Funkgerät zur Hand und rief offensichtlich nach Verstärkung. Diesen Moment der Verwirrung nutzte die kleine Punkerin, um sich loszureißen und davonzulaufen. Ein Polizist rannte ihr fluchend hinterher, während der andere weiterhin alle Hände voll mit den Bayern-Fans zu tun hatte.

Das war meine Chance. Und in genau diesem Moment klingelte auch mein Handy wieder. Salims Stimme überschlug sich.

»Dein Zug ist eingefahren! Los, beeil dich! Gleis vierundzwanzig!«

Weil ich die Rechnung schon direkt nach dem Bestellen bei der Dirndl tragenden Kellnerin beglichen hatte, konnte ich sofort aufspringen und losrennen. An jedem anderen Ort wirken rennende Ausländer verdächtig, aber in einem Bahnhof rast sowieso jeder, als würde er verfolgt. An mir flog ein Meer aus Menschengesichtern vorbei: weiße, rötliche, braune, schwarze, gelbe; traurige, lächelnde, verwirrte, wartende; längliche, runde, breite; haarige, glatte, blasse, blutige ... Alle kamen mir bedrohlich vor, sogar die Ausländer, die in den vielen Imbissbuden Sandwichs und Getränke verkauften. Ich fühlte mich beobachtet und war mir sicher, jeden Moment von hinten überwältigt und auf den Boden gedrückt zu werden.

Endlich entdeckte ich Salim, der seit dem Tod seiner Mutter im letzten Jahr nur noch schwarze Trauerkleidung trägt. Er stand am Bahnsteig. Jedoch nicht allein. Zwei in Zivil gekleidete Männer waren gerade dabei, seine Papiere zu überprüfen. Mitten im Sprint korrigierte ich meine Laufrichtung und steuerte am Bahnsteig vorbei, als hätte ich Angst, meine U-Bahn zu verpassen. Vom Absatz der Rolltreppe aus, die mich langsam in die Tiefe trug, traute ich mich nicht, zurückzublicken.

Frau Schulz, ich wollte Sie viel früher besuchen, aber leider kam mir immer etwas dazwischen. Rückblickend betrachtet ist es auch besser so. Wäre es mir gelungen, in den

Zug einzusteigen, dann hätte ich mein Ziel möglicherweise nie erreicht. Diese Regionalzüge halten unterwegs in fast jedem Kaff. Oft steigen Polizisten dazu, und jedes verdammte Mal, wenn sie einen solchen Zug kontrollieren, fragen sie keinen der schönen blonden Fahrgäste nach ihrem Personalausweis. Geradewegs kommen sie immer zu mir – respektive zu den schwarzhaarigen oder auf andere Weise fremdländisch aussehenden Reisenden. Prinzipiell sollten Ausländer die Züge der Deutschen Bahn meiden. Nur die erste Klasse im ICE ist eine sichere Lösung. Dort lassen sich die Polizisten selten blicken. Leider sind diese Plätze unendlich teuer. Genauso wie ein passendes Hemd von Hugo Boss als Verkleidung.

In den Regionalzügen herrscht ständiges Ein- und Aussteigen. Anfangs wollte ich gern die Einheimischen kennenlernen und freute mich darüber, wenn sich jemand zu mir gesellte. Oft setzte ich mich selbst in Bussen oder Zügen neben einen Blondschopf und versuchte mit ihm ins Gespräch zu kommen. Ich betrachtete es als kulturellen Austausch und lernte so die Sprache anzuwenden. In letzter Zeit vermeide ich den Kontakt jedoch zunehmend und will lieber für mich alleine bleiben. Ich bin es leid, über Dinge zu reden, die mit meinem jetzigen Leben nichts mehr zu tun haben. Die permanenten Fragen zur Vergangenheit erledigen mich. Seit Monaten bemühe ich mich, den Nachrichten aus der Heimat auszuweichen, höre oder lese sie höchstens ein Mal wöchentlich, und das so oberflächlich wie möglich. Allenfalls die Schlagzeilen, damit der Trübsinn mich nicht übermannt. Die deutschen Fahrgäste wollen sich mit mir jedoch über nichts anderes unterhalten. Die Fragen sind immer dieselben:

Woher kommen Sie?

Wann kehren Sie in Ihr Heimatland zurück?

Der 11. September war abscheulich, sehen Sie das auch so?

Können die Araber überhaupt demokratisch denken?

Sind Sie Muslim?

Wie denken Sie über das, was die Amerikaner in Ihrem Land angestellt haben? Sehen Sie es als Befreiung oder Besatzung?

Ist das Leben jetzt besser ohne Diktatur?

Was glauben Sie – wird es mit der Demokratie dort funktionieren?

Nie macht sich einer mal Gedanken über mein gegenwärtiges Leben. Über die Schwierigkeiten mit der Aufenthaltserlaubnis, die Folter in der Ausländerbehörde, die Schikanen des Bundeskriminalamtes, über die Peinlichkeiten des Bundesnachrichtendiensts oder die Banalitäten des Verfassungsschutzes. Und warum fällt niemandem die Tatsache des Polizeirassismus auf? Was bedeutet es für mich, wenn ich weder in der Heimat noch in der Fremde leben darf? Frau Schulz?

Derart verbittert war ich früher nicht. Die Erfahrungen der letzten Jahre haben mich jedoch verändert. Insbesondere die Polizei verdirbt mir die Laune. Scheißbullen! Nur noch wenige Stunden, dann wird dieses Dreckspack mein Gesicht hoffentlich nie wieder sehen. Raus aus diesem Staat!

Einen Schlepper habe ich bereits gefunden, der wird mich nach Finnland bringen. Soweit ich weiß, haben die Finnen keine klaren Abkommen mit anderen europäischen Ländern. Das heißt, dass sie weder Fotos noch Fingerabdrücke mit Deutschland austauschen. Dort kann ich wieder einen Asylantrag stellen und ein neues Leben beginnen.

In den letzten Monaten habe ich nichts anderes getan, als mich darauf vorzubereiten. Ich habe von morgens bis abends schwarz bei einem Griechen auf der Baustelle gearbeitet. Ich habe täglich Steine, Metall oder Rohre geschleppt und die dreitausendfünfhundert Euro zusammengespart, die der Schlepper für seine Dienste verlangt. Eintausend Euro habe ich ihm letzte Woche als Anzahlung gegeben. Damit beschafft er mir einen gefälschten Reisepass. Hoffentlich verarscht er mich nicht. Wenigstens kenne ich das Café, in dem er seine Zeit totschlägt und arbeitet. Man nennt ihn Abu Salwan. Heute um Mitternacht holt er mich ab, und dann geht es los. Den Rest des vereinbarten Betrages wird er aber nicht sofort bekommen. Er liegt bei Salim, und der darf die Scheine Abu Salwan erst geben, sobald ich Finnland erreicht habe. Ich werde ihn von dort aus anrufen und meine Ankunft bestätigen. So lautet die Abmachung.

Personen wie meinen Griechen-Boss oder meinen Schmuggler ausfindig zu machen, ist überhaupt nicht schwer. In München gibt es etliche Vermittler, die derartige Begegnungen zwischen »Kunden« und »Anbietern« organisieren. Als Illegaler oder Asylant findet man schnell heraus, wo sie sich aufhalten. Man kann allerdings nicht direkt zu ihnen gehen, um sie nach ihren Diensten zu fragen, sondern muss jemanden auftreiben, der sie kennt. Vorsichtsmaßnahme.

Diejenigen, die sich mit den Irakern befassen, sitzen allabendlich in der Al-Nurr-Moschee. Aber unsereins nennt diese einfach nur »Goethemoschee«, weil sie in der Goethestraße liegt. Anders, als man sich eine Moschee vorstellt, ausgestattet mit einem turmhohen Minarett, kunstvollen Teppichen und historischen Wandmalereien, besteht sie lediglich aus einem einzigen kargen großen Raum in der dritten Etage eines sechsstöckigen Gebäudes.

Tagsüber halten sich die Vermittler an einem anderen Ort auf, dem Kulturverein Enlil, der im gleichen Gebäude untergebracht ist. Keine Ahnung, wer sich diesen Namen ausgedacht hat. Enlil ist ein Gott der sumerischen Religion. »En« steht für »Herr« und »lil« für »Wind«. Also »Herr Wind«. Als ich den Vereinsraum erstmals betreten habe, fühlte ich mich statt an einen altertümlichen mesopotamischen Tempel eher an ein verdrecktes Café am Nordtor im Zentrum von Bagdad erinnert. Genauer gesagt dachte ich an die Gegend, in der sich das Kino Scheherezade befindet, wo sich die Diebe, Alkoholiker und Obdachlosen aufhalten.

Der Raum liegt in der ersten Etage und verfügt über ein einziges großes Fenster, das kein Licht ins Innere lässt, weil ihm gegenüber das sieben oder acht Stockwerke hohe Goethe-Hotel steht. Blaue und weiße Tische, Plastikstühle, ein Kühlschrank mit Softgetränken, ein Fernseher, der fortwährend AL JAZEERA TV zeigt, und schließlich eine Ecke, in der man Wasserpfeife, Tee und andere Getränke bestellen kann. Im hinteren Bereich befinden sich der Toilettenraum, die Küche und ein Friseursalon. Dort hängt ein großflächiges Bild der Freiheitsstatue im Bagdader Zentrum.

In der Gegend des Münchner Hauptbahnhofs gibt es viele ausländische Supermärkte, Cafés, Imbisse, Restaurants, kleinere Lebensmittelgeschäfte und ebenfalls zahllose Vereine verschiedener Volksgruppen. Da sind die Kurden, Turkmenen, Christen, schiitische oder sunnitische Muslime und andere Minderheiten aus dem Irak, aber auch Perser, Türken oder Pakistanis. Die Mehrheit gruppiert sich in und um die Goethestraße.

Keiner dieser Kulturvereine in der West-östlichen-Diwan-Gegend betreibt tatsächlich Kultur. Bestenfalls kann man so einen Verein als eine Art Café oder Klub betrachten, wo man Tee trinkt, Wasserpfeife raucht und Domino, Karten oder Backgammon spielt. Es wird behauptet, dass die Besitzer dieser Teehäuser und Kartenklubs Vereine gründeten, um dadurch Steuervorteile zu erzielen. Kulturvereine, die keine sind. Kulturvereine ohne Bücher, Zeitschriften oder Zeitungen. Weder Lesungen noch andere Veranstaltungen werden dort angeboten. Da hocken ein paar Männer zusammen, deren lautstarke nervöse Reden sich anhören wie die Alarmrufe von Soldaten an der Front. Vieles an diesen Orten ist für die Unsrigen allerdings Gold wert und bedeutet uns viel mehr als jedes Buch. Daneben wirken die deutschen Vokabeln »Kultur« oder »Goethe« luxuriös und überflüssig.

Meinen Job auf der Baustelle fand ich durch einen Vermittler im Enlil, und meinen Schlepper sah ich zum ersten Mal im Friseurzimmer, wie er unter dem Bild der irakischen Freiheitsstatue saß. Ein Typ mit etlichen Goldketten um den Hals, ein kurdischer Christ aus Erbil im irakischen Norden. Seine Kunden findet er in den Vereinen oder in der Goethemoschee. Dort gibt es alles, was die Iraker in München und wohl in ganz Bayern dringend benötigen: Jobangebote auf dem Schwarzmarkt, Informationen über

Asylanträge, Arbeits- und Aufenthaltserlaubnis, Auskünfte über Rechtsanwälte mit Spezialisierung im Ausländerrecht, Scheinehevermittlungen, Heiratsvermittler zwischen Mädchen aus der Heimat und den Irakern in Deutschland sowie eine Geldtransferstelle.

Die Geschäfte werden selbstverständlich nicht umsonst angeboten. Die Vermittler sind Unternehmer, die wissen, wie man aus dem Sand des Nichts wahres Geld zaubern kann. Sie sprechen Bayerisch, und alle Probleme, die es gibt, haben sie bereits gelöst. Die meisten von ihnen sind mit deutschen Frauen verheiratet. Niemand weiß genau, wie sie die Arbeitskontakte mit den Einheimischen herstellen und aufrechterhalten. Jeder arbeitet für sich und pflegt seine eigenen Kontakte. Mein Arbeitsvermittler, Abu Layla, soll einer der einflussreichsten in seinem Bereich sein, auch deshalb, weil er akzentfrei Türkisch, Griechisch und Deutsch spricht und dadurch Verbindungen zu Menschen aus den drei wichtigsten Volksgruppen in Bayern nutzen kann. Für die Vermittlung des Jobs verlangte er vierhundert Euro von meinem ersten Gehalt. Alles wurde mündlich vereinbart und Salim war unser Zeuge. Man behauptet, dass Abu Layla auch von den Arbeitgebern etwas für die Vermittlung bekomme. Wie viel, weiß ich nicht.

Mein Boss, der Grieche Kostas, überreichte mir die Kohle pünktlich am Ende eines jeden Monats. Normalerweise beschweren sich auf dem Schwarzmarkt alle über ihre Chefs. Ich hörte von Unternehmern, die sich weigerten, den kompletten Lohn zu bezahlen, oder die ihre Angestellten monatelang auf ihr Geld warten ließen. Kostas jedoch war ein korrekter Mann. Wöchentlich musste ich mit ihm die Baustelle wechseln, damit das Arbeitsamt uns nicht erwischte. Sein Team stellte er hauptsächlich aus Türken und Griechen zusammen. Hin und wieder kamen für kurze Zeit andere Schwarzarbeiter hinzu, oft waren das Polen, Perser, Pakistanis, Kurden oder Araber. Mehrere Monate blieb ich bei ihm »angestellt«. Er behielt mich, weil ich ohne Widerworte alles ausführte, was er von mir verlangte. Einen »arabischen Esel« nannte er mich und lachte dabei lauthals, wenn er ab und zu mit den ihm vertrauteren Arbeitern, zu denen ich schnell gehörte, in der Mittagspause einen Raki trank.

Im Verein Enlil fand ich letztendlich immer Lösungen für meine kniffligsten Probleme. Ohne Herrn Wind wäre mein Leben völlig anders verlaufen. Und wie mir ging es vielen, die von dort aus einen neuen Lebensweg einschlagen wollten. Zum Beispiel Salims Bruder Majed, der heute als Kfz-Mechaniker bei BMW arbeitet und seit ein paar Jahren im Münchner Stadtteil Freimann wohnt. Durch den Verein erhielt er seine Frau. Von den »europäischen Evas« hatte er nämlich schnell die Nase gestrichen voll, wie er Salim und mir einmal anvertraute.

»Sie kochen nicht, sie putzen nicht, aber sie wollen von den Männern wie Herrinnen behandelt werden, spazieren umher in viel zu kurzen Kleidchen, sogar im Januar bei minus zwanzig Grad. An den Wochenenden findet man sie auf den Discobühnen, mit fremden Männern tanzend. Ständig haben sie Affären und trotzdem erwarten sie bedingungslosen Respekt. Wo sind wir hier?«

Also hatte Majed sich ein Mädchen vom Frauenmarkt bestellt. Aus der Heimat. Der Heiratsvermittler zeigte ihm mehrere Fotos von jungen Frauen, die allesamt kochen und putzen konnten und eine Ehe im Sinne Majeds zu schätzen wussten. Majed telefonierte daraufhin mit seiner Mutter in Bagdad, die das Heft mit den Frauenbildern ebenfalls erhalten hatte. Ihre Wahl fiel auf eine Braut, die sie sogar persönlich besuchte und für die sie sich dann auch schnell begeisterte. Jungfräulich sei sie und sie verfüge weder über zu kurze noch zu lange Beine.

»Solche Frauen gebären gesunde Kinder«, behauptete Majeds Mama felsenfest. Die Fersen seien fleischig, was bedeute, sie habe enge und für ihren Mann gefühlsintensive Geschlechtsteile. Wenn sie gehe, presse sie ihre Schenkel zusammen. Das wiederum heiße, kein Mann habe sie bisher bestiegen, denn sonst würden ihre Beine auseinandergehen. Ihr Gesicht sei rund, »ein Zeichen der Ehre!«. Die Nase sei gerade, »das Antlitz eines echten babylonischen Vollbluts! Was willst du mehr, mein Sohn?«

Für das Mädchen mit den fleischigen Fersen war es ein langer Weg bis zu einer Aufenthaltserlaubnis in Deutschland. Zuerst wurde sie illegal in den Norden zu den Kurden gebracht, von dort weiter in die Türkei. Majed besuchte sie in Istanbul und heiratete sie dort. Selbstverständlich war das Mädchen nicht allein angereist, ihr Bruder hatte sie begleitet. Er erklärte Majed, dass er nun nicht in den Irak zurückkehren wolle. Majed musste ihm also finanziell helfen, sodass er Richtung Athen abhauen konnte. Majed hingegen kehrte zunächst allein nach Deutschland zurück, reichte bei der Ausländerbehörde die Einladung, die Heiratsurkunde und den anderen Papierkram ein und wartete vier Monate, bis seine Frau das Visum bekam und endlich zu ihm fliegen durfte. Das Ganze kostete ihn fast zwölftausend Mark. Davon gingen fünftausend Mark an den Heiratsvermittler, der die Vermittlung und die illegale Reise der Braut und ihres Begleiters bis nach Istanbul organisiert hatte.

Salim findet die Frau seines Bruders sehr nett. Sie heißt Fatima und wirkt insgesamt zufrieden, nicht unbedingt im Hinblick auf ihren alternden und eifersüchtigen Ehemann, dafür aber auf ihre gemeinsamen Kinder.

Majed ist einer von vielen, die auf diese Weise zu ihren Ehefrauen gekommen sind. In der Zeit des Embargos im Irak gab es unzählige solcher Unternehmungen. Irakische Väter und Mütter, die kein Brot mehr auftreiben konnten, um ihre Familien zu ernähren, gaben ein Kind auf und ließen es als Braut in die Fremde ziehen, damit die anderen überleben konnten. Man behauptet, dass auch irakische Offiziere mit derart verzweifelten Menschen Geschäfte trieben.

Ich habe ebenfalls gehört, dass viele irakische Mädchen in den Iran verkauft wurden, um sie dort für die »Genuss-Ehe« zur Verfügung zu stellen. Im Iran ist wie bei allen Schiiten diese Art der zeitlich begrenzten Ehe erlaubt. Bei einer Genuss-Ehe »heiratet« ein Mann eine Frau für die Dauer von einer halben Stunde oder länger, ganz nach Belieben.

Andere Mädchen brachte man aus dem Irak und verschacherte sie an die Saudis. In Saudi-Arabien existieren zwar keine Genuss-Ehen, dafür jedoch Sklaven-Bereiche in den Palästen der Reichen und Mächtigen. Jene interessieren sich nicht ausschließlich für Mädchen, sondern auch für hübsche Knaben und für Transsexuelle. Die südirakische Stadt Basra gilt als Hochburg der einflussreichsten Händler solcher »Ware«. Immer wieder hörte ich von Jugendlichen, die von ihren Familien verkauft wurden.

Wie genau dieses Geschäft funktioniert und wie gut es organisiert ist, bekam ich jedoch erst im Ausland mit, als ich in München das Café Enlil entdeckte.

Seit dem Sturz von Saddam hat sich der Heiratsmarkt verändert. Die Exilanten können jetzt selbst in den Irak reisen und ihre zukünftigen Frauen auswählen. Im Café Enlil gibt es zwar noch immer Heiratsvermittler für diejenigen Männer, die keine Verwandten mehr in der Heimat haben und die trotzdem unbedingt eine Irakerin zur Frau wollen. Die Vermittler erweitern aber ihr Portfolio und können nun auch in anderen Angelegenheiten angefragt werden. Das Geschäft läuft nach wie vor. Es gibt immer etwas zu vermitteln.

Frau Schulz, ohne diese Gauner wäre ich längst verrückt geworden und hätte nichts erreicht. Mir würde nicht einmal die Hoffnung bleiben, irgendwann, irgendwo eine neue Heimat zu finden, die ich mir selbst ausgesucht habe. Enlil bietet für alle Irrwege des Exils eine Hintertür.

Der Geldverkehr in den Irak zum Beispiel funktioniert hervorragend. Man gibt einem Vermittler in München Geld und dieser lässt es der Familie zu Hause in Bagdad zukommen. Dafür zahlt man zwar zehn bis fünfzehn Prozent Provision, aber auf normalem Weg Geld zu überweisen ist nicht möglich. Im Irak gibt es weder Girokonten noch eine offizielle Filiale der Western Union. Diese Bank, die sonst überall einen Sitz hat und für Flüchtlinge und Schlepper die wichtigste Adresse auf dem Planeten ist, verlangt im Irak exorbitant hohe Zinsen. Ihre Vertreter dort sind zwielichtige Reisebürobesitzer, denen man nicht vertrauen kann. Wer mit ihnen zusammenarbeitet, sieht sein Geld eventuell nie wieder. Und eine Möglichkeit, es zurückzufordern, gibt es nicht.

Vor einigen Wochen hatte ich endlich einmal Geld übrig, das ich meiner Familie schicken konnte – fünfhundert Euro. Im Enlil hat mich jemand an einen Typen verwiesen, den ich dann in der Goethemoschee traf. Er nahm das Geld entgegen, zauberte es irgendwie über den halben Erdball und nur ein paar Tage später tauchte sein Bruder bei meiner Familie in Bagdad auf und saß bei uns im Wohnzimmer. Dort überreichte er genau den richtigen Betrag, abzüglich der Provision, die wir vereinbart hatten. Mein Vater bestätigte mir anschließend am Telefon, dass er das Geld erhalten habe.

Im Exil entstehen so viele seltsame Probleme und Rätsel, auf die man als normaler Mensch nie kommen würde. Schwierigkeiten aller Art brechen so plötzlich und unerwartet wie Naturkatastrophen über einen herein. Wir sind komplett ausgeliefert. Um zu überleben und nicht vollständig wahnsinnig zu werden, brauchen wir die Vermittler, die Mafiosi, die Geldgeilen, die Schmuggler, die bestechlichen Polizisten und Beamten, wir benötigen all die Blutegel, die von unserer Situation profitieren wollen. Wir brauchen sie viel mehr als alle Mitarbeiter von AMNESTY INTERNATIONAL zusammen.

Die letzten Monate habe ich in andauernder Angst vor der Polizei verbracht, weil ich keine Aufenthaltserlaubnis mehr besitze, Frau Schulz. Lediglich zum Arbeiten bin ich noch rausgegangen, ansonsten habe ich mich zu Hause versteckt. Ganz München kam mir vor wie ein Knast und die Menschen in der Stadt waren meine unnachgiebigen

Wärter. Sowohl mit als auch ohne gültige Papiere, ich habe sowieso ständig mit der Polizei zu tun. Seit ich dieses Land betreten habe, musste ich immer aufpassen und Orte wie Bahnhöfe oder die Fußgängerzonen möglichst meiden. In solchen Gegenden sind die Ordnungshüter unentwegt auf der Pirsch nach schwarzhaarigen, dunkelhäutigen Menschen, egal, ob sie harmlose Studenten oder kriminelle Dealer sind. Vielleicht gibt es da ja einen polizeiinternen Contest. Vielleicht führen sie Ranglisten, wer die meisten Schwarzhaarigen kontrolliert und Flüchtlinge gefasst hat, und der Gewinner kriegt als Preis eine goldene Handschelle oder eine All-inclusive-Reise nach Marokko.

Während meiner Anfangszeit in Niederhofen wurde ich beinahe täglich kontrolliert. Auf der Straße, in der Fußgängerzone, am Hauptbahnhof, und das ohne jeglichen ersichtlichen Grund. Immer wenn ein Polizist mich sah, fragte er nach meinem Ausweis. Nur wenige Wochen genügten, bis ich bei allen Niederhofener Polizisten bekannt war, und ab diesem Zeitpunkt ließen sie mich weitestgehend in Frieden. Einige von ihnen grüßten mich sogar freundlich.

Im letzten Frühjahr bemerkte ich eines Tages zwei neue Polizisten, die zusammen auf Streife waren. Sie stolzierten die Fußgängerzone entlang und stapften mit kräftigen Schritten über den Beton, als seien sie bunt gefiederte Kampfhähne inmitten zarter, weißer Hühnchen aus der Fabrik. Kaum dass sie mich entdeckten, kamen sie schnurstracks auf mich zu und forderten meine Papiere.

Noch bevor ich reagieren konnte, rief einer der altbekannten Bullen von der anderen Straßenseite: »Lasst ihn in Ruhe, den kennen wir bereits!«

Trotzig und froh über diesen kleinen Triumph grinste ich die beiden neuen Polizisten an. Das fanden die gar nicht lustig, ließen mich aber weitergehen.

Mein Kamerad Rafid ersann mit der Zeit eine komische Methode, die Polizisten zu ärgern. Ganz ruhig reichte er ihnen seinen Ausweis, wenn sie danach fragten, und stimmte dann leise eine Variation des Lieds von Opus an, was die Polizisten schnell extrem nervte.

Live is life
Na na na na na
La ba da ba ba live
Na na na na na
Black is black
Na na na na na
Black
Na na na na na
Schwarz is black
Na na na na na
La ba da ba ba black
Na na na na na
Dunkel is schwarz
Na na na na na
Live

Ich selbst habe diese Methode nie angewandt. Ich akzeptierte die Polizisten als ein Schicksal, dem ich sowieso nicht entgehen konnte. Sie hingen mir wie Kletten am Hals. Also gewöhnte ich mich notgedrungen an sie und betrachtete sie als einen wiederkehrenden Albtraum, der mir vertraut war und den ich daher nicht länger fürchten musste. Gespenster kann man innerlich bekämpfen, indem man sie einfach nicht ernst nimmt.

Seit ich aber den Widerruf meines Asylantrags erhalten habe und mir, wie so vielen Irakern seit dem Sturz von Saddam, die Aufenthaltserlaubnis entzogen wurde, sind alle Albträume wieder da. Niemals vergesse ich diesen Tag. Ich lag auf der Couch meiner Niederhofener Wohnung und erwartete ein paar Kollegen, die mich zu einem gemeinsamen Spaziergang abholen wollten. Es war ein Samstag. Ich stand auf, um meine Post zu holen. Das Postfach quoll über vor Werbezetteln und Rechnungen. Dazwischen versteckte sich allerdings ein grüner Brief. Ich wurde sofort nervös. Grüne Umschläge weisen immer auf eine Briefsendung von großer Bedeutung hin. Sie stammen aus einer allmächtigen Behörde wie dem Bundesamt für die Anerkennung ausländischer Flüchtlinge oder der Ausländerbehörde. Mein Herz schlug wie der Pressluft-hammer, mit dem ich schon bald illegal auf Baustellen arbeiten sollte. Ich öffnete den Brief und fand darin einen sehr langen Text auf Deutsch und Arabisch, fast zwanzig Seiten. Der Widerruf meines Asylantrags. Unterm Strich wollten sie mir mitteilen: Seit die Amerikaner die Diktatur von Saddam Hussein beseitigt hätten, sei die Situation im Irak besser geworden. Es gebe also keine Gründe mehr dafür, dass ich in Deutschland bliebe. Ich solle umgehend in mein Heimatland zurückkehren.

Das ganze Wochenende über war ich fix und fertig. Montagmorgens rannte ich sofort zur Caritas. Dort traf ich Frau Mohmadi, eine nette Dame, die mit einem Ägypter verheiratet war und die ihr Leben für uns Asylanten aufopferte. Sie riet mir, einen Rechtsanwalt zu konsultieren.

»Viel wirst du natürlich nicht erreichen, aber sicher ein paar Monate gewinnen, in denen du dich frei bewegen und dir überlegen kannst, was du in Zukunft machen willst. Mit deiner Aufenthaltserlaubnis ist es bald vorbei. Der Asylantenreisepass wird dir dann ebenfalls abgenommen. Danach bleibt dir bestenfalls eine Duldung und du darfst dich nicht weiter als dreißig Kilometer von Niederhofen entfernen. Das alles wird nur gemacht, um dich später doch abzuschieben.«

»Aber was in dem Brief steht, ist Blödsinn«, sagte ich. »Im Irak gibt es zwar keine Diktatur mehr, aber ein heilloses Chaos. Täglich Bombenanschläge. Armeen aus allen Teilen der Welt und die Saddamisten erschießen sich gegenseitig. Terroristen fühlen sich angelockt und mischen mit. Der Irak ist kein Land mehr, sondern die Kampfarena der Weltmächte und Verrückten. Selbst die Iraker wissen bei den meisten Anschlägen und Scharmützeln überhaupt nicht mehr, wer jetzt gerade gegen wen kämpft. Und ehe man sichs versieht, gerät man ins Kreuzfeuer und endet als einer von Zehntausenden von Kollateralschäden. Ich bin gerade eifrig dabei meiner Familie zu helfen, das Land zu verlassen – und jetzt soll ich in dieses Minenfeld zurückkehren? Die deutschen Behörden können mich genauso gut hier vor Ort erschießen, dann muss ich wenigstens nicht warten, bis ich beim Einkaufen von einer Bombe zerfetzt werde. Oder nein, erschießen Sie mich doch, Frau Mohmadi! Los, machen Sie es einfach!«

»Was du sagst, interessiert in den Beamtenstuben kein Schwein. Das weißt du selbst. Jetzt seid ihr Iraker dran, wie einst die Jugoslawen nach dem Balkankrieg. Zuerst lässt man sie herein, nach dem Krieg schickt man sie ins Chaos zurück, ohne einen Gedanken daran zu verschwenden, was aus ihnen wird. Es ist immer dasselbe Drama. Das wird sich nicht ändern, egal, was du sagst. Soll ich dir einen Kontakt zu einem Rechtsanwalt herstellen?«

»Ja bitte!«

»Lass den Brief bei mir, ich nehme ihn mit. Du brauchst nicht unbedingt anwesend zu sein, wenn du nicht willst. Es ist reine Routine. Der Anwalt klagt gegen diesen Bescheid und verschafft dir ein Zeitfenster. Mehr geht leider nicht. Das ist sein täglich Brot. Ich werde dich telefonisch auf dem Laufenden halten. Ist deine Handynummer noch aktuell?«

»Ja.«

»Und bitte, bitte: Komm nicht auf die dumme Idee, Deutschland mit deinem aktuellen Reisepass zu verlassen! Du stehst seit der Erstellung des Widerrufes unter Ausreiseverbot. Das gilt auch für die anderen Schengenländer.«

Sie tätschelte mir verständnisvoll den Arm und ich hätte mich am liebsten an ihrer Brust ausgeheult.

Der Anwalt verhalf mir tatsächlich zu zwei Monaten Zeit. Und danach sollte ich zur Ausländerbehörde gehen. Zu Ihnen, Frau Schulz. Meinen blauen Asylpass abgeben, um im Gegenzug ein Duldungsdokument zu erhalten. Unter den Irakern kursierten allerdings viele Gerüchte. Einige behaupteten, dass man in Ihrer Behörde festgenommen und direkt in die Abschiebehaftanstalt gebracht werde, nach München oder Nürnberg.

Neue Aussichten ergaben sich für mich auch bis kurz vor Ablauf der beiden Monate nicht. Am besten wäre es gewesen, eine Einheimische zu heiraten, um durch ihren Status eine Aufenthaltserlaubnis zu bekommen. Ich dachte an meine Exgeliebte Lada, die ist zwar keine Deutsche, hat als Kontingentflüchtling aber eine unbefristete Aufenthaltserlaubnis. Allerdings meldet sie sich nicht mehr und ist bestimmt noch immer mit Dimitri verheiratet. Ich kenne aus meinem Umfeld auch überhaupt keinen, der tatsächlich eine junge Inländerin geheiratet hat, um hierbleiben zu können.

Eine weitere Möglichkeit wäre es gewesen, eine Scheinehe mit einem osteuropäischen Mädchen zu schließen, das einen deutschen Pass besitzt. Die stehen zur Verfügung, vermittelt durch russische Scheineheagenten in Niederhofen. Mir sind sie zu teuer. Die verlangen ab zwölftausend Euro aufwärts und geben nicht mal eine Garantie, dass es auch klappt. Egal, wie es ausgeht, das Geld ist dann so oder so komplett weg.

Meine letzte Alternative ist also, das Feld zu räumen und mein Glück in einem anderen Land zu suchen. Dafür habe ich mich entschieden.

Ich bin nach den zwei Monaten also nicht zu Ihnen in die Behörde gekommen, Frau Schulz. Ich bin abgehauen, nach München, um dort unterzutauchen. Sich in großen Städten zu verstecken ist leichter als in den kleinen Orten. Ich wohne bei Salim. Den kennen Sie doch auch. Bereits im Asylantenheim in Bayreuth war er mein Zimmergenosse, und später landeten wir beide hier in Niederhofen. Nachdem er seine Aufenthaltserlaubnis erhalten hatte, ist er direkt nach München in die Nähe seines Bruders gezogen und arbeitet seitdem in einer Gaststätte. Er hat Glück, noch immer hat er keinen Widerruf bekommen. Er arbeitet »ganz normal« bei einer Zeitarbeitsfirma, die ihm einen Job in einem Restaurant besorgt hat.

Salim war es, der mich zum ersten Mal mit in die Goethemoschee genommen hat. Und auch im Kulturverein Enlil stellte er für mich die ersten Kontakte her. Dort fand ich meinen Baustellenjob bei Kostas und auch meinen Schlepper Abu Salwan. Noch heute, Frau Schulz, wird er mir helfen, mich von dieser nicht enden wollenden deutschen Qual zu befreien.

Ein Rudel Großkatzen jagt eine Gazellenherde. Ameisen marschieren wie bei einer Militärparade über den Bildschirm. Ein Schmetterling flattert zu einer Blüte und lässt sich auf ihr nieder. Lachende Delfine schwimmen mit einer Frau in Burka in einem Swimmingpool. Typen in Halloweenkostümen trauern vor einem Kürbisgesicht. Eine Möwe schwebt über dem Ozean, in ihren Augen spiegeln sich Bombenanschläge. Ein Mann steht vor zerstörten Gebäuden und ruft: »Das ist die Hölle! Ich verfluche dich, Demokratie!« Das Weiße Haus glänzt wie frisch poliert. Nebel über einem Gewässer. Buchstaben wie Fische aus Gold steigen aus einem Meer auf und fügen sich langsam zusammen zu dem Wort ALJAZEERA. *Ebenfalls aus den Fluten taucht ein weiterer Schriftzug auf:* AKTUELLE NACHRICHTEN AUS DER GANZEN WELT. *Sofort Werbung hinterher. Die Lippen einer Frau vor einem Spiegel.* DAX COSMETICS, CASHMERE SECRET. *Eine Stimme säuselt: »Eine leichte Make-up-Grundierung mit herrlichem Duft. Für seidig glatte Haut.« Cut. Irgendwo auf einer Party. Sie hat ein rückenfreies schwarzes Kleid an. Ein attraktiver Mann grüßt sie, beugt sich vor und küsst ihre Hand. Sie stolziert weiter zu ihren Freundinnen, die an einer Bar stehen. Verblüfft schauen sie ihr ins Gesicht. Nächste Werbung. Ein Baby blickt lachend und mit leuchtenden Augen auf eine Flasche in der Hand seiner Mutter.* NIDO VOLLMILCHPULVER, ORIGINAL NESTLÉ.

Ich nehme die Fernbedienung und schalte den Fernseher auf lautlos. Mein Blick wandert zu der halben Zigarette, die im Aschenbecher auf dem Sofatisch liegt. Ich nehme den Stummel und zünde ihn an.

»Ohne Haschisch wäre das Leben echt unerträglich, oder, Salim?«

Salim antwortet nicht. Der süßliche Geruch mischt sich mit dem Duft von Biryani-Reis, der sich in der ganzen Wohnung ausgebreitet hat. Kocht Salim? Oder bin ich so hungrig, dass ich schon von leckeren irakischen Gerichten träume? Ist Salim überhaupt in der Wohnung? Ach, ich will nicht aufstehen und nach ihm sehen. Es ist so gemütlich auf dem Sofa!

DREI JAHRE UND VIER MONATE sind vergangen, seit ich mithilfe eines Schleppers hierherkam. Nun werde ich das Land durch die Dienstleistung eines solchen wieder verlassen. Heute gegen Mitternacht holt er mich ab und bringt mich weg. Ich bin wie eine unerwünschte Reklame, die immer wieder in Briefkästen geworfen wird, obwohl überall ganz deutlich Aufkleber angebracht sind. STOPP! KEINE WERBUNG BITTE! WIR VERMEIDEN MÜLL!

Wie meine künftige Reise verlaufen wird, Frau Schulz, das kann ich so wenig absehen, wie es Sie interessiert. Was mich in Finnland außer Frost erwartet, weiß ich nicht. Dennoch bin ich unheimlich aufgeregt und freue mich, andernorts neu anfangen zu können. Meine Beziehungen zu den dortigen Ämtern sind ja noch ganz jungfräulich.

Jahrelang habe ich hier gelebt und nun gehe ich mit leeren Händen. Was ich mitnehme, ist tief in mir. Es sind die vielen Erinnerungen an die anderen verlorenen Seelen und daran, wie wir uns so weit weg von zu Hause in die Arme liefen.

Als ich in Deutschland ankam, dachte ich, ich sei in Frankreich. Bis dorthin hatte mein Vater nämlich bezahlt. In

Bagdad hatte er einem Schleppervermittler fünftausend Dollar gegeben. Dieser sollte dafür meine Reise bis nach Paris organisieren.

Dort wurde ich von Onkel Murad erwartet, einem alten Freund meines Vaters, der dann vor Ort weitere viertausend Dollar an die Schlepper bezahlen sollte. Hierfür hätte er die Lieferung, also mich, in Empfang nehmen können. Aber alles kam ganz anders.

Der Trip dauerte nicht lang, etwa fünf Wochen, und er verlief fast reibungslos. Eine ganze Schar von Schmugglern begleitete mich über zahlreiche Einzeletappen. Von Bagdad aus fuhren wir mit dem Auto über die Nordroute bis nach Istanbul. Von dort reisten wir, sechs Männer, zwei Frauen, drei Kinder und ein neuer Schlepper, weiter bis zur griechischen Grenze. Mit einem Schlauchboot ruderten wir über den Grenzfluss Evros. Hinter der Grenze übernahm uns ein Grieche und brachte uns bis nach Athen. Dort löste sich unsere Gruppe auf. Ein neuer Mittelsmann begleitete mich gen Norden bis nach Patras. Da versteckte mich ein Italiener in der Kabine seines Lastwagens. Er lenkte den Lkw auf eine Fähre und am darauffolgenden Tag erwachte ich in Venedig. Der nächste Schmuggler brachte mich nach Rom, wo ich einem Iraker übergeben wurde, der behauptete, Halbdeutscher aus Bielefeld zu sein. Über Silvester ließ er mich ein paar Nächte in einer leeren Erdgeschosswohnung zurück, irgendwo am Stadtrand. Das Jahr 2001 begann dann damit, dass wir zu zweit mit dem Zug nach Bolzano in Südtirol reisten oder wie es auf Deutsch heißt: Bozen. Am gleichen Abend hockte ich bereits mit drei weiteren Passagieren im Laderaum eines Minitransporters. Fünf oder sechs Stunden Fahrt ohne jede Orientierung. Dann wurden wir frühmorgens auf irgendeiner Straße ausgesetzt.

»Ihr seid angekommen! Aussteigen, beeilt euch! Da hinten ist der Bahnhof!«

Kaum berührten unsere Füße den Asphalt, gab der Fahrer wieder Gas und war verschwunden. Bislang hatte überall ein Schlepper auf mich gewartet. Dieses Mal jedoch fand ich mich an einem unbekannten Ort wieder, zusammen mit drei anderen Jungs. Keiner von uns wusste, wo wir waren oder was jetzt am besten zu tun war. Wir standen auf einer verwaisten Landstraße, um uns herum schneebedeckte Felder, einige entlaubte Bäume und eine Kälte, die uns bis tief in die Knochen fuhr. Weder Menschen noch Autos waren zu sehen, lediglich ein paar Gebäude, weit entfernt.

»Ist das Deutschland?«, fragte einer der Jungs.

»Es ist wohl eher Frankreich«, sagte ich, ohne dafür einen wirklichen Anhaltspunkt zu haben.

»Oh nein, wir haben doch bis nach München bezahlt!«

»Ich aber bis nach Paris!«

Ein anderer unterbrach unseren Disput.

»Wenn wir weiter so blöd hier herumstehen, wird man uns schnell entdecken, ganz egal, wo wir sind!«

Daraufhin ließen mich die drei Jungs einfach stehen und rannten rasch in Richtung der Häuser, wo sich angeblich der Bahnhof befinden sollte. Ich entfernte mich ebenfalls von der Straße und versteckte mich hinter einem Baum. Hier kramte ich meine Flüchtlingsausstattung aus dem Rucksack hervor. Eine schicke schwarze Hose, ein elegantes Hemd sowie Schuhe und Socken. Eine komplette Garnitur, die mir mein Vater mitgegeben hatte und die ich anziehen sollte, wenn ich mich in einer Großstadt oder in der Nähe eines Wohngebiets befände. Auch mein Bielefelder Schmuggler in Rom hatte mir eingeschärft, dass ich mich optisch unbedingt anpassen müsse.

»So fällst du nicht negativ auf! Polizistenaugen sehen zuerst auf die Kleidung. Bleiben ihre Blicke hängen, dann schauen sie auf die Haut- und Haarfarbe. Noble Klamotten sind in den westlichen Ländern genauso wichtig wie ein Ausweis. Je eleganter und stilvoller du aussiehst, desto sicherer bist du.«

Ich stand also in einer ländlichen Gegend hinter einem Baum und zog mich um. Für einen kurzen Moment sah ich mich von außen. Wie ich irgendwo auf diesem Planeten in Unterhosen im Schnee stehe, ohne zu wissen, wo ich bin. Ich kam mir unter diesem wirklich schönen Baum mit einem Mal mutterseelenallein vor. So allein wie noch nie zuvor in meinem Leben.

Obwohl die Reise bisher trotz meiner Ängste problemlos verlaufen war, traute ich dem Frieden hier nicht so recht. Meine Stimmung wurde trüb wie der Himmel dieses unbekannten Landes. Vielleicht war es auch diese unsägliche Kälte, die mich wie ein tollwütiges Tier ansprang und die dazu führte, dass ich stark zitterte.

Von den alten Klamotten behielt ich nur die schwarze Jacke und den Gürtel, den Rest ließ ich auf dem Boden zurück. Frisch umgezogen machte ich mich auf den Weg zum Bahnhof. Ich ging an der Landstraße entlang und stapfte durch den matschigen Schnee. Als ich zu den ersten Häusern kam, versuchte ich die Hauptstraße weitestgehend zu vermeiden und lief ein paar Umwege.

Nach einem halbstündigen Marsch landete ich schließlich vor einem Gebäude, hinter dem gerade ein Zug vorbeifuhr. Das musste der Bahnhof sein. Ich wollte hineingehen, um in Erfahrung zu bringen, wo ich mich befand. Dann könnte ich Murad in Paris anrufen und ihn über mein weiteres Vorgehen um Rat fragen. Aber kaum dass ich die Halle betreten hatte, sprachen mich, trotz meiner Verwandlung in einen gepflegten Herrn, zwei in beigefarbene Hosen und grüne Jacken gekleidete Männer an.

»Polizei, Ihren Ausweis bitte!«

»What?«

»Passport?«

»No.«

Ein paar Augenblicke später klickten die Handschellen und ich wurde in ein Polizeirevier geführt, das nur wenige Meter vom Bahnhof entfernt lag.

»I am from Iraq. Seeking asylum. Asylum, please.«

Diese Worte hatte ich zuvor im Stillen tagtäglich geübt, jetzt sprach ich sie endlich aus. Mehr sollte ich besser nicht sagen, abgesehen vom Namen, Beruf und Alter. Die Schlepper hatten uns immer wieder eingetrichtert, dass wir nur mehr erzählen sollten, wenn Dolmetscher oder Zivilisten dabei wären.

Ich wurde in ein Büro gebracht, in dem zwei Uniformierte nebeneinander an einem Tisch saßen. Sie unterhielten sich mit mir. Einer der beiden übertrug meine Aussagen in ein Heft. Er wollte die Orte notieren, die ich auf meinem Weg nach Deutschland passiert hatte. Doch ich antwortete nicht. Als Beschäftigung gab ich »Student« an. Der Mann fragte außerdem, ob ich Geld bei mir trüge. Obwohl es der Unwahrheit entsprach, verneinte ich. Meine Mutter hatte nämlich einige Dollar in meine Kleidung eingenäht.

Bevor ich unser Haus in Bagdad verließ, trennte sie den Gürtel auf, stopfte fünfhundert Dollar hinein und nähte ihn anschließend wieder zu, sodass »keiner, nicht einmal der Teufel selbst, auf die Idee kommt, dass hier etwas verborgen ist. Die holst du erst heraus, wenn du dein Ziel erreicht hast«, sagte sie und wischte sich eine Träne von der Wange. »Dein Startkapital in der Fremde.«

Ich wurde in einen Nebenraum gebracht. Dort standen ein Tisch und mehrere Stühle. Ringsum nackte Wände. Nach wenigen Minuten tauchten die beiden Polizisten wieder auf, die mich verhaftet hatten. Sie trugen Gummihandschuhe und verlangten, dass ich mich vollständig ausziehen sollte.

»What?«

»Na los! Ausziehen!«

»No!«

»Undress! Jetzt mach hin!«

Widerwillig zog ich mich aus.

Die beiden schauten mich an. In ihren Augen konnte ich sehen, wie sehr mein Oberkörper sie zugleich anekelte und faszinierte. Ja, Frau Schulz, sie sahen etwas, wofür ich mich bis heute zutiefst schäme. Sie sahen den wahren Grund meiner Flucht. Seit Jahren und vor allen Menschen versuche ich, ihn zu verheimlichen. Vielleicht erzähle ich Ihnen später davon.

Der Unrasierte zeigte auf meine Unterhose.

»Die auch!«

»No!«

»Ausziehen!«, befahl er, trat einen bedrohlichen Schritt auf mich zu und schaute mir streng in die Augen.

Ich gehorchte und streifte die Unterhose ab.

Der Unrasierte begann, mich zu untersuchen. Alles wurde erforscht. Sogar meine Eier. Zum ersten Mal in meinem Leben schob jemand seinen Finger in meinen Arsch.

Der andere Polizist durchsuchte währenddessen meine Klamotten und den Rucksack. Er trennte den Gürtel auf, als würde er das jeden Tag zigmal machen. Er entdeckte die fünfhundert Dollar und packte die Scheine auf den Tisch. Er holte meine Geburtsurkunde, den Ausweis, das Abiturzeugnis und die vier Schachteln Marlboro aus meiner Tasche und legte sie neben das Geld.

»Put your clothes on! But not the belt! Understand?«

Einer der Polizisten notierte irgendetwas auf ein Formular, schob das Blatt zu mir und reichte mir einen Stift.

»Signature!«

Mit seinem Zeigefinger klopfte er wiederholt auf die Stelle, wo wohl mein Name hingehörte. Er tat das auf eine so eigene Art, dass ich mir kein weiteres »No« erlaubte.

Die beiden führten mich in einen neuen Raum. Dort fotografierte man mich und nahm meine Fingerabdrücke ab. Dann begleitete mich der Hodengrabscher durch den Flur und eine Treppe hinunter in den Keller. Wir erreichten eine dicke, schwere Tür. Er öffnete sie und unmittelbar dahinter befand sich eine zweite Tür, diesmal mit Drehrad. Er bewegte den Mechanismus und hievte die dicke Stahltür mit einiger Anstrengung auf. Nach ein paar Schritten standen wir vor einer weiteren Stahltür, die der Polizist ebenfalls aufschloss. Ich nahm all meinen Mut zusammen und sprach ihn an.

»Excuse me, where am I? France, Paris? Where?«

Der Polizist schaute mich an, als sei ich völlig verrückt.

»Are you kidding me? You are in Germany. Dachau! Understand?«

»Dachau? What's that?«

Heute bin ich heilfroh, dass ich bis zu meiner Ankunft in Deutschland noch nie etwas von Dachau gehört hatte. Wenn ich von dem dortigen Konzentrationslager aus der Nazizeit gewusst hätte, dann wäre an jenem Tag bestimmt mein Herz stehen geblieben. Aber auch so kam mir meine Dachauer Gefängniszelle sehr beklemmend vor. Der Raum erinnerte mich an eine Milchflasche. Alles darin war weiß. Die Wände, die Bettwäsche, das Waschbecken und die Toilettenschüssel, die Klopapierrolle, der Heizkörper, ebenso der Tisch und der Stuhl, die sowohl an der Wand als auch am Boden festgeschraubt waren, als wären sie unerzogene Hunde, die man an der Leine halten muss. Oder als drohte die Gefahr, dass sie gestohlen würden. Das Einzige, was eine andere Farbe hatte, befand sich über dem Bett. Ein roter Knopf. Darauf müsse ich drücken, wenn ich etwas benötige, erklärte mir der Polizist, bevor er den Raum verließ und mich einschloss.

Ich kauerte unendlich lang in dieser Zelle. Ich wusste irgendwann nicht mehr, ob es Tag oder Nacht war. Das ewig gleiche Kaltlicht einer weißen Halogenlampe machte jedes Zeitgefühl zunichte. Ich hörte weder Stimmen noch Autos oder Züge, obgleich das Polizeirevier direkt am Bahnhof lag. Nicht ein winziges Geräusch drang zu mir. Kein einziger Geruch, nichts, außer dem seltsamen Mief der Zelle, dem Gestank der Einsamkeit. Eine kolossale Stille. Unzählige Fragen und Ängste stoben durch meinen

Schädel, senkrecht, waagerecht, diagonal und in unheimlichen Kreisen. Die Sekunden, Minuten und Stunden krochen träge dahin. Dreimal kotzte ich in die Toilettenschüssel, obwohl ich seit einer Ewigkeit nichts mehr gegessen hatte. Als wollte mein Magen zusammen mit meiner Seele aus meinem Körper ausbrechen. Mein Kopf schmerzte. Ich fing an zu zittern, obwohl es nicht kalt war. Zwanghaft kratzte ich mich hinter den Ohren und kaute auf den Lippen herum. Der Gedanke an eine Zigarette fing an, mich vollständig zu beherrschen. Ewigkeiten starrte ich auf den roten Knopf, bis ich ihn endlich drückte. Es dauerte einige Minuten, bis ein Polizist erschien und die Tür öffnete.

»Was?«

»I need to eat, please. And a cigarette?«

»It's in the middle of the night. Ask tomorrow.«

Er ging wieder und verriegelte die Türen.

Arschgesicht!, grummelte ich in mich hinein.

Ich legte mich wieder hin, betrachtete die weiße Decke über mir und drehte mich auf die linke Seite. Vor meiner Nase die makellos weiße Wand. Gern hätte ich Risse oder irgendeine Spur von Feuchtigkeit darauf entdeckt, um darin etwas lesen oder erträumen zu können. Feuchte Steine können Formen, ja ganze Gemälde im Gehirn hervorrufen. Doch die monotonen Mauern von Dachau bedeuteten nur Unbestimmtheit und Ödnis.

Ich schlief tatsächlich ein. Allerdings rissen mich gewaltige Albträume bald wieder aus dem Schlaf. Ich schlug auf den roten Knopf und wartete. Keiner kam. Ich stand auf, wusch mir mein Gesicht, trank aus dem Wasserhahn und suchte vergeblich nach einem Schalter, um das Licht auszumachen. Ich setzte mich auf den Boden, hielt meinen Oberkörper fest mit den Armen umschlungen. Dann legte ich mich wieder ins Bett. Ich zog die Decke über den Kopf.

»Ja, was wollen Sie?«

Ein rothaariges Mädchen befand sich plötzlich in meiner Zelle. Es trug dieselbe Uniform wie die Polizisten. Überrascht schaute ich es an.

»What do you want?«

»I'm hungry. No food for a thousand days!«

»I'll bring you something.«

Erneut zog ich mir die Decke über den Kopf und wartete. Dann kam das Mädchen endlich zurück und hatte zwei Käsebrötchen dabei.

»It looks like you have been forgotten by my colleagues. I'm sorry for that.«

Sie stellte den Teller mit den belegten Brötchen auf den Tisch und wollte direkt wieder gehen.

»May I ask you what time it is?«

»It's six in the morning.«

Dann fiel die Tür wieder ins Schloss. Ich stürzte mich auf das erste Käsebrötchen. Nach wenigen Bissen wurde mir so schlecht, dass ich mich dazu zwingen musste, langsam zu essen, um mich nicht schon wieder zu übergeben. Ich zerrupfte das Brötchen in kleine Stücke, lutschte den Teig, kaute den Käse ganz langsam. Als ich beide Brötchen gegessen und ein paar Schlucke Wasser aus dem Hahn getrunken hatte, spürte ich, wie etwas Leben in mich zurückkehrte. Ich schlief ein und wachte erst wieder auf, als die Tür erneut aufgerissen wurde. Ein Polizist betrat den Raum. Er befahl mir aufzustehen. Während ich noch versuchte, ihn zu fragen, was jetzt passiere, packte er mich, riss mich vom Bett, legte mir Handschellen an und zog mich auf den Flur. Dann schubste er mich vor sich her. Wir stiegen die Treppe hinauf und gingen in dasselbe Büro, in dem sich seine Kollegen meine Auskünfte notiert hatten.

Draußen war es ziemlich hell, vermutlich Vormittag. Einer der drei anwesenden Polizisten wechselte einige Worte mit meinem schlecht gelaunten Bewacher. Nachdem ich einen Zettel unterschrieben hatte, begleitete er mich ins Freie.

Merkwürdig, das Tageslicht wieder zu sehen, es stach mir grell in die Augen. Außerdem schlug mir ein kalter Wind ins Gesicht. Grauer Himmel über Dachau. Der Schnee bedeckte fast den gesamten Parkplatz, ein paar Polizeiautos standen herum. Ich wurde zu einem Auto gebracht, in dem bereits ein weiterer Polizist saß und auf uns wartete. Ich wurde nach hinten gesetzt. Dann fuhren wir zu dritt los.

Obwohl ich gern die Umgebung betrachtet hätte, gelang es mir nicht, mich zu konzentrieren. Ich war sehr eingeschüchtert von der Härte und der Kälte und schaute nur zu den bitterernsten Männern vor mir, versuchte zu erahnen, was sie mit mir vorhaben könnten. Wo brachten sie mich hin?

Nach einer langen Zeit näherten wir uns einem Gebäude, das wie ein Knast aussah. Mein Herz fing an zu rasen. Obwohl ich saß, zitterten meine Beine. Tatsächlich konnte ich Gitter an den Fenstern sehen, aber auch Menschen, die frei über das Gelände gingen oder davon wegspazierten. Keine Wächter. Viele Schwarzhaarige überall. Seinem Aussehen nach glaubte ich, einen Landsmann auszumachen. Er spielte mit einer Gebetskette in der Hand, genau wie die alten Männer in der Heimat.

Vor einem kleineren Gebäude hielten wir und stiegen aus. Mir wurden die Handschellen abgenommen. Ich bekam meinen Rucksack wieder und wurde in ein Zimmer gebracht. Dort wartete ich nur eine kurze Zeit, bis zwei in Zivil gekleidete Männer den Raum betraten. Der Hellhäutige sagte: »Hallo«, der Schwarzhaarige begrüßte mich auf Arabisch und sagte: »As-salamu alaikum.«

Es war so unfassbar schön, meine Muttersprache wieder zu hören. Endlich ein Mensch, dachte ich, mit dem ich reden kann. Er sah nett aus, war gut angezogen und glatt rasiert.

Die Polizisten verließen den Raum, meine neuen Begleiter brachten mich in ein neues Wartezimmer. Dann verschwanden auch sie wieder. Hier saßen bereits drei Männer und zwei Frauen. Sie schwiegen. Nach einer längeren Zeit, in der ich meinen Gedanken nachhing, überprüfte ich meinen Rucksack. Fast alles war noch da, auch der Gürtel, jedoch ohne die fünfhundert Dollar. Auch die vier Schachteln Marlboro waren weg. Solche Arschlöcher.

Plötzlich stand der Schwarzhaarige vor mir.

»Alles in Ordnung?«

»Ja, danke! Wo bin ich? Und was ist das für ein Ort?«

»Du bist in München, das ist das Asylantenheim.«

»Was wird mit mir passieren?«

»Man wird deine Angaben notieren und dir einen Ausweis geben. Mach dir keine Sorgen! Das wird schnell erledigt sein. Anschließend wirst du in einen Ort gebracht, der

Zirndorf heißt. Ins dortige Asylantenheim. Hier in München gibt es keine freien Plätze mehr. Alles voll. Der Bus wartet ab dreizehn Uhr vor dem Haus.«

»Ich muss nicht ins Gefängnis, oder?«

»Dir steht ein Recht auf Asyl zu. Du musst aber eine Strafe zahlen, weil du dich illegal im Land aufgehalten hast. Deshalb wurde das Geld, dass du bei dir hattest, eingezogen. Hättest du dich bei der Polizei gemeldet, wäre es jetzt einfacher.«

»Darf ich telefonieren? Hier will ich nicht bleiben, ich soll weiter nach Paris.«

»Mach bitte keine Dummheiten! Deine Fingerabdrücke wurden abgenommen und an andere europäische Länder weitergeleitet. Du kannst nirgendwo anders Asyl beantragen. Nur in Deutschland, wo man dich aufgegriffen hat. Deine Reise endet hier. Das ist deine letzte Station in Europa. Gewöhn dich an den Gedanken!«

Der Mann verabschiedete sich und ging wieder ins Zimmer nebenan. Auf dem Weg dorthin blieb er kurz im Türrahmen stehen, drehte sich noch einmal zu mir um und schaute mir lächelnd und freundlich in die Augen.

»Dein Paris heißt jetzt Zirndorf. Telefonieren kannst du von dort aus.«

WÄHREND MEINER GANZEN FLUCHT aus dem Irak hatte ich mich wieder und wieder in Fahrzeugen befunden, die mich an irgendwelche wildfremde Orte gebracht hatten, deren Namen ich nicht einmal aussprechen konnte. Nun sollte meine Reise enden und der Name meines zukünftigen Wohnorts klang wie der eines seltenen Medikaments. Zirndorf.

Der Busfahrer stand vor dem Zaun und warf einen gelangweilten Blick auf das dahinterliegende Gebäude. Er rauchte eine Zigarette nach der anderen und spuckte ständig auf den Boden, als wolle er die Erde beleidigen. Als wir endlich losfuhren, hatte er nur noch Augen für die anderen Fahrzeuge auf der Straße und die unzähligen Schilder. Er lenkte den Bus meisterhaft durch den dichten Verkehr von München. Es schien, als seien ihm die Passagiere vollkommen gleichgültig. Sein schmächtiger Begleiter hingegen versuchte, die Fahrt für uns alle so angenehm wie möglich zu gestalten. Matthias, so hatte er sich vorgestellt, war Mitarbeiter einer Stiftung, die sich um Asylbewerber kümmert. Wenn er seine Hände bewegte, erzeugte er den Eindruck, als wäre er ein Klavierspieler oder Balletttänzer. Er blätterte in einer Akte und las hin und wieder Namen daraus vor. Er betrachtete jeden von uns höflich und mit einem verträumten Blick.

»Wie der uns anguckt. Das ist doch definitiv eine Schwuchtel!«, sagte einer der Jungs in der letzten Reihe.

»Stehst du etwa auf ihn, oder was?«, rief irgendwer, und alle brachen in Gelächter aus.

»Mann, hört auf! Er ist nett zu uns. Er hat es nicht verdient, dass ihr auf diese Art über ihn redet. Seid nicht so respektlos! Vielleicht versteht er sogar Arabisch!«, sagte der Junge neben mir, den Matthias gerade als Hassan aufgerufen hatte.

»Er kann auch Persisch und Hindi! Er ist ein Eunuch eines Kalifen aus der Abbasiden-Zeit, kommt eben mit der Zeitmaschine aus dem Mittelalter, direkt aus dem Palast in Bagdad. Du Vollidiot!«

»Bei dem Quatsch, den du da redest, wünsche sogar ich mir, kein Arabisch zu verstehen.«

»Ach, du denkst wohl, du bist was Besseres. Pass auf, sonst komme ich rüber und verwandele mit einem Schlag deine Zähne in Münzen!«

»Zeig doch, was du draufhast!«, rief Hassan und sprang mit stolzgeschwellter Brust auf den anderen Jungen zu. Sofort verwandelten laute Anfeuerungsrufe den Bus in eine Hahnenkampfarena. Zwei ältere Männer gingen zwischen die Streitenden und versuchten zu verhindern, dass es zu einer richtigen Prügelei kam. Sogar der Älteste im Bus mischte sich schließlich ein. Er war bestimmt über siebzig Jahre alt, trug einen schwarzen Turban um den Kopf gewickelt und saß ganz vorne hinter dem Busfahrer. Sein Körper war komplett von einem langen, braunen Gewand umschlungen. Er sah wie einer der Stammesführer aus, die ich auch nur aus dem Fernsehen kannte, und seine Stimme war tief und kräftig.

»Wollt ihr uns vor den Menschen dieses Landes lächerlich machen? Ich will keinen Ton mehr von euch hören. Verstanden? Zeigt Respekt, ihr ungezogenen Bengel!«

Mit diesen Worten endete die Streiterei schlagartig. Alle schwiegen. Typisch, dachte ich, unsere Ältesten haben immer das letzte Wort, sogar in Europa.

Ich stellte mir vor, dieser Bus mit uns allen sei nur zufällig hier in Deutschland gelandet. Vor wenigen Augenblicken noch war er ganz gewöhnlich durch Bagdad gefahren, dann gegen eine Mauer geknallt, und plötzlich, wie in einem Fantasyfilm, umgab ihn eine dichte Staubwolke und einen Augenblick später fuhr er auf einer deutschen Autobahn. Die Uhrzeiger der Fahrgäste allerdings drehten sich noch nach der mesopotamischen Zeit.

Ich schaute immer wieder aus dem Fenster auf diese absurde Welt da draußen namens Bayern. Nach den Münchner Häusern, Geschäften und Geschöpfen mit ihren vielen Klamotten, Mützen, Handschuhen und schweren Mänteln lag nun nur noch eine Landschaft vor uns, die vollständig unter Schnee begraben war. Einige Dörfer da und dort waren in der Ferne zu sehen. Manchmal tauchten Fabriken, Tankstellen, Burger-King-Filialen oder Baumärkte auf.

Hassan, der sich inzwischen wieder beruhigt hatte, erzählte mir, wir seien zwar nach Zirndorf unterwegs, würden aber auch dort nicht lange bleiben. Dieser Ort sei eine Zwischenstation, von wo aus die Asylbewerber an verschiedene Stellen weitergeschickt würden. Mehr sagte er nicht, und er fragte mich nicht einmal nach meinem Namen. Stattdessen schaute er aus dem Fenster, schwieg und betrachtete die Käffer, an denen wir vorbeirauschten.

Der Bus wurde langsamer und blieb auf einem Hügel mitten in einem Wald stehen, vor einem einsamen winzigen Haus. Matthias forderte einen Jungen auf, hier auszusteigen. Er begleitete ihn ins Haus, kehrte allein wieder zurück und wir fuhren weiter.

»Wird so auch unser Ende aussehen? Abgesetzt auf einer Anhöhe zwischen den Wäldern?«, fragte Hassan. Als wir wieder ein paar Minuten lang gefahren waren, wurde ihm plötzlich schlecht. Er rief sofort nach Matthias und machte ihn auf seine missliche Lage aufmerksam. Doch bevor der Busfahrer anhalten konnte, kotzte Hassan schon mitten auf den Gang. Anschließend hob er den Kopf, gelbe Galle tropfte von seinem Mund.

»Ich wollte nur ausdrücken, was ich über unsere jetzige Situation denke.«

Er lachte und einige fielen in dieses Lachen mit ein, während andere sich kopfschüttelnd und angeekelt wegdrehten. Hassan lachte zwar, aber ich konnte sehen, dass sich Tränen in seinen tiefschwarzen Augen sammelten.

Nach einer kurzen Pause, in der Matthias zusammen mit Hassan das Erbrochene wegwischte, fuhren wir weiter. Ich schlief ein und wachte erst in der Abenddämmerung wieder auf, als wir bereits angekommen waren. Unser Bus stand vor dem Zirndorfer Asylantenheim.

Es gab hier keine Asphaltstraßen, sondern nur Schotterwege, schlank wie die umstehenden Tannen auf den Hügeln. Die Einrichtung lag zwar auch auf einer Anhöhe, war aber viel größer als jene, bei der wir den Jungen abgesetzt hatten. Sie bestand aus mehreren Haupt- und Nebengebäuden.

Vor einem Büro im Hof stellten wir uns in einer Warteschlange auf. Unsere Namen wurden von einem grauhaarigen Typen aufgerufen. Eine alte Dame, die sich neben ihn gestellt hatte, reichte jedem von uns eine Flasche Apfelsaft, zwei Brötchen, vier Scheiben Käse und eine Decke. Anschließend begleitete uns der Grauhaarige in einen Raum, der vorher vermutlich als Sporthalle, Warenlager oder Garage gedient hatte und in dem nun viele Matratzen auf dem Boden lagen. Dort sollten wir übernachten.

Obwohl sich mehr als siebzig Männer im Saal befanden, verstummten irgendwann alle Gespräche, Flüche und auch das seltene Gelächter. Die Stille wurde lediglich von einigen Schnarchgeräuschen und herzhaften Pupsern durchbrochen.

Ich saß aufrecht auf meiner Matratze. Durch das große Fenster an der Seitenwand der Halle versuchte ich draußen irgendetwas zu erkennen. Es war stockdunkel und am Himmel waren keine Sterne, kein Mond oder andere Lichter von Flugzeugen oder Sternschnuppen zu sehen. Da das Fenster eine rechteckige Form aufwies, erschien mir die schwarze Fläche wie einer der Zensurbalken, die ich aus dem Fernsehen kannte. Ich wusste, dass diese neue Heimat, in der ich mich nun gezwungenermaßen aufhielt, ein Gesicht hatte – noch konnte ich jedoch nicht erkennen, ob es ein freundliches oder ein boshaftes war.

So vor mich hin grübelnd legte ich mich endlich hin. Da meine Matratze direkt an der Wand lag, fiel mir bei näherer Betrachtung auf, dass diese zwar frisch gestrichen war, man aber Spuren von einigen Kritzeleien durchscheinen sehen konnte. Ich erkannte arabische Buchstaben, schaffte es aber nicht, Wörter oder gar ganze Sätze zu entziffern. Nur »Allah« sprang mir ins Auge und das versetzte mir einen schmerzhaften Stich ins Herz, denn so gottverlassen, wie ich mich in dem Moment fühlte, war er wohl der Letzte, auf dessen Hilfe ich zählen konnte. Mit einem stummen Fluch auf den Lippen schlief ich ein.

Irgendwann hörte ich eine Stimme, die meinen Namen rief. Sofort war ich hellwach und sprang auf. Es war schon früher Morgen. Ich sollte schnell im Büro erscheinen, um einige Dokumente zu unterzeichnen. Danach besuchte ich eine Mitarbeiterin der Caritas. Wir sprachen Englisch miteinander. Auch sie fragte ich natürlich nach meinem Geld. Auch sie sagte, dass die fünfhundert Dollar wohl als Strafzahlung einbehalten worden seien, weil ich mich illegal auf deutschem Boden aufgehalten habe. Wo die vier Schachteln Marlboro abgeblieben seien, könne sie sich allerdings auch nicht erklären. Vermutlich waren sie einfach in den Lungen der Polizisten in Dachau verpufft.

Ich bekam eine Fahrkarte und einen Fahrplan auf Englisch sowie fünf D-Mark Taschengeld. Mit dem Linienbus und der Regionalbahn sollte ich nun allein weiterfahren. In ein neues Heim. Mein nächstes Ziel klang wie die libanesische Hauptstadt.

»To Beirut?«, fragte ich den schweigsamen Beamten, der mich bis zur Bushaltestelle begleitete.

»Yes, Bayreuth. Das ist nicht weit.«

Mit dem Bus fuhr ich also zum Zirndorfer Bahnhof. Dort fand ich eine Telefonzelle und rief mit den fünf Mark Taschengeld endlich Murad in Paris an.

»Hallo, Onkel Murad. Ich bin's, Karim!«

»Oh Gott, Karim! Wir haben uns solche Sorgen um

dich gemacht. Geht es dir gut? Wo bist du?« Onkel Murad war außer sich vor Freude.

»Alles okay. Ich bin in Deutschland.«

»Was?«

»Keine Ahnung. Der Schlepper hat mich hier irgendwo stehen lassen und die letzten Tage war ich im Knast. Jetzt bin ich wieder frei und soll zu einem Asylantenheim fahren. Was soll ich denn jetzt machen?«

»Hat man deine Fingerabdrücke abgenommen?«

»Ja, sicher.«

»Oh, das ist eine Schande. Dann musst du Paris vergessen. Versuch in Deutschland Asyl zu bekommen. Mehr kannst du jetzt nicht tun.«

»Aber das ist alles ein großer Dreck, Onkel Murad, so war das doch gar nicht geplant.«

»Ich kümmere mich um diesen Scheißschlepper.«

»Kannst du Papa anrufen und Bescheid geben, dass ich angekommen bin?«

»Ja klar. Pass auf dich auf, mein Lieber, und ruf mich an, wenn du etwas brauchst.«

Murad legte auf. Ich hielt den Hörer noch einige Zeit lang an mein Ohr und hörte paralysiert dem Freizeichen zu. Dieser endlose, gleichmäßige Pfeifton klang wie ein medizinisches Gerät, das den Tod eines Menschen signalisiert.

IN BAYREUTH WOHNTE ICH in einem Zimmer von fast zwanzig Quadratmetern, zusammen mit drei Landsmännern: Ali, Salim und Rafid. Unser Zimmer lag im ersten Stock, und wenn wir aus dem Fenster schauten, sahen wir in den Hof und auf das gegenüberliegende Haus, in dem die Familien untergebracht waren.

Das Bayreuther Heim, liebe Frau Schulz, ist ein großflächiger Komplex aus mehreren Gebäuden. Alles, was mit den Asylbewerbern zu tun hat, findet sich auf dem Gelände: die Büros des Bundesamts für die Anerkennung ausländischer Flüchtlinge, eine Polizeidienststelle, eine Niederlassung der Caritas und eben die Behausungen der Asylanten. Der Komplex liegt am Stadtrand und war früher wohl mal eine Kaserne, vielleicht aber auch ein Gefängnis oder ein Seuchenhaus.

Alle Gebäude sind exakt gleich aufgebaut. Im Erdgeschoss neben dem Eingang befindet sich eine kleine Kammer, die wie ein Kiosk aussieht. Darin hockte immer ein bewaffneter Ordnungshüter, der die Vorbeigehenden musterte und ihre Ausweise, Taschen und Einkaufstüten kontrollierte. Vor ihm lagen allerlei angebrochene Süßigkeiten, Zigarettenschachteln und Zeitschriften herum, denen er sich widmete, wenn er uns nicht gerade mit Kontrollen drangsalierte. Jedes Haus hat drei Stockwerke, und am Anfang eines jeden Flurs befinden sich das Gemeinschaftsklo, das Duschbad sowie die Küche. Dann kommen die Zimmer.

Während meiner Anwesenheit war es so, dass die einzelnen Bereiche des Heims nach der Nationalität ihrer Bewohner benannt wurden. Es gab das »albanische Gebiet«, das »afrikanische Eck«, den »afghanischen Raum« und die »weißrussische Stube«. Im ersten Stock wohnten in zwei Zimmern ein paar Albaner und vier Nepalesen, der Rest gehörte uns Irakern. Deswegen nannte man die ganze Etage den »mesopotamischen Flur«. Auch die Kurden hatten ihr eigenes Stockwerk. Und die Christen hausten im »Christenblock« im dritten Obergeschoss. Im Erdgeschoss lebten die Übriggebliebenen: Kirgisen, Pakistanis, Iraner, Montenegriner und Kasachen. Man bezeichnete diesen Bereich als die »Orient-Express-Haltestelle«.

Neuankömmlinge wollten selbstverständlich bei ihren Landsleuten untergebracht werden. Der Caritasverband kümmerte sich auch tatsächlich darum, dass die Beamten sie dorthin schickten, wo sie hingehörten. Ich wurde also glücklicherweise zu den arabischen Bewohnern auf den »mesopotamischen Flur« gesteckt.

Bei uns auf der Etage gab es nur drei Frauen. Eine aus Albanien und zwei Nepalesinnen. Letztere waren in Begleitung ihrer Liebhaber aus der Heimat gekommen, die bildschöne Albanerin mit ihrem muskulösen Bruder. Keiner von uns kam auf die Idee, sie anzumachen. Die imposanten Muskeln des Bruders standen wie die Chinesische Mauer vor der Nase eines jeden Kerls, der nur darüber nachdachte, sie anzusprechen. Trotzdem hielten sich einige Mutige immer in der Gemeinschaftsküche auf, wenn die Albanerin etwas kochte und ihr Bruder mal für einen Augenblick nicht anwesend war. Jeder von ihnen tat dann so, als sei er der größte Koch der Menschheitsgeschichte, und versuchte, die Albanerin mit kulinarischen Ratschlägen zu beeindrucken. Immer blieb sie stoisch, setzte ein unüberwindbares Lächeln auf, hörte interessiert zu und antwortete meist gar nichts. Anschließend flanierte sie mit dem fertig gekochten Mahl in ihr Zimmer zurück. Sie muss zumindest geahnt haben, dass sie mit jedem ihrer gazellenhaften Schritte und mit jeder Bewegung ihres eleganten Hinterns unsere Herzen reihenweise brach.

Die irakischen und anderen arabischen Familien wohnten in einem Haus, das näher an der Hauptstraße lag als unseres. Darunter waren sogar ein paar ledige junge Frauen. Uns jungen Männern war das Betreten dieser Unterkunft leider untersagt. Nicht vom Wachpersonal, sondern durch unsere eigenen arabischen Gesetze.

Hauptsächlich war das Asylantenheim eine Ansammlung von Männern, die unverheiratet oder ohne ihre Familie gekommen waren. Die Anlage war unser Zuhause, und wir durften uns nicht mehr als dreißig Kilometer davon entfernen. »Residenzpflicht« nannte man diesen unsichtbaren Zaun, der uns gefangen hielt.

Es war Mitte Januar, Tag und Nacht schneite es. Ich erinnere mich, es war wohl in meiner ersten oder zweiten Nacht um etwa sechs Uhr morgens, als meine Blase so sehr drückte, dass ich mich nach einer Guten-Morgen-Zigarette aus dem Bett quälte und über den Flur zur Toilette schlurfte. Im ganzen Asylantenheim herrschte zu dieser Zeit eine Totenstille. Es war erstaunlich. Lautlosigkeit gehörte sonst nicht zur Natur dieses Ortes. Tagsüber hörte man überall Gelächter, Geschrei, Geschimpfe, Gefluche, Gestreite und Gespräche. Die Bewohner waren wie eine Horde eingepferchter Affen, die keine Ruhe kannten und ständig Krach machten.

Als ich auf den Flur trat, spürte ich mit voller Wucht diese boshafte europäische Eiseskälte. Wie ein Ungeheuer fiel sie mich an und biss mir in die Knochen. Meine kräftigen Pobacken zitterten wie die einer Samba-Tänzerin. Ich tastete nach dem Lichtschalter und rannte zähneklappernd über den Flur, der sich hinzog wie ein Fußballfeld.

Die Toilette sah schrecklich aus. Der Boden war nass und schmierig. Ich ging in ein Häuschen. Der einstmals weiße Plastiksitz war ganz gelb von Urin, Alter und ausgedrückten Zigaretten. Was soll's, ich habe schließlich keine Wahl, dachte ich und zog meinen Pyjama runter.

Mein Penis war weg. Im Ernst. Er war tief in meinen Körper zurückgewandert. Ich wurde panisch. Das, was ich sah, hatte gar nichts mit dem zu tun, was ich kannte. Was ist das für ein komisches Land, das so ein Scheißwetter hat? Ich hatte einige Mühe, meinen Schwanz so unter meiner Haut herauszuschälen, dass ich überhaupt pinkeln konnte. Als meine eiskalten Hände meinen Penis berührten, war es, als würde ich mich selbst mit Stromstößen bestrafen. Ich hatte das Gefühl, eine winzige Brustwarze zwischen den Fingerspitzen zu halten. Dabei bin ich bei normalen Temperaturen wirklich ordentlich bestückt.

Schließlich konnte ich dem Drang nicht widerstehen, wenigstens kurz einen Finger in den Strahl zu halten, um mich etwas zu wärmen. Mein Urin dampfte wie ein Geysir.

Als ich fertig war, zog ich die Hose wieder hoch. Ich merkte, wie einige Tropfen meines Urins in der Unterhose landeten. Die Kälte hatte mich wohl etwas zu sehr angetrieben, sodass ich nicht richtig abgeschüttelt hatte. Da es im Bad keine Handtücher und keinen Durchlauferhitzer gab, wusch ich mir die Hände erst bei uns im Zimmer. Dort hatten wir ein komisches Gerät am Waschbecken hängen; das speicherte zwar nicht viel Wasser, konnte es aber so sehr erhitzen, dass man damit auch Tee zubereiten konnte. Ich ließ den Wasserspeicher an diesem Morgen komplett leerlaufen, um meine Hände zu wärmen, verkroch mich dann wieder unter meine Bettdecke und schwor bei allen Heiligen, die mir einfielen, dass ich in diesem merkwürdigen Land und bei diesem Wetter, das sogar Geschlechtsorgane verschwinden ließ, niemals wieder früh aus dem Bett steigen würde.

Ich hatte so ein Wetter noch nie zuvor erlebt. Es schneite die ganze Zeit. Die Flocken stürzten vom Himmel herab und bedeckten kompromisslos alles, sogar eine Kirchturmspitze, die man vom Asylantenheim aus sehen konnte. Bei meinen Spaziergängen sah ich auch, wie der Schnee gegen die mit Lichterketten und unheimlichen Zwergfiguren geschmückten Fenster und Terrassen peitschte, wie er auf die Hüte und Mützen der Fußgänger und mitten in die ernsthaften Gesichter der Einheimischen schlug. Die Flocken sammelten sich überall. Wie ein Sandsturm überzogen sie die Erde, die Wände und die Bäume mit einer neuen Haut und ließen alles noch grauer aussehen – wie eine käsigweiße Leiche.

Durch das Fenster meines Zimmers beobachtete ich tagelang die eingeschneite Welt da draußen. Ich hatte den

Eindruck, dass alles um mich herum weiß angemalt worden war: der Hof, die Autos auf dem Parkplatz, die Hauptstraße, die schwarzen Mäntel des Wachmannes und des Caritas-Mitarbeiters, die hin und wieder rausgingen, um eine Zigarette zu rauchen. Es waren minus sechzehn Grad. Das ist total krank. In Bagdad, Frau Schulz, würde so ein Wetter als ein unmissverständliches Zeichen für den unmittelbar bevorstehenden Weltuntergang gewertet werden.

Es war mir auch ein Rätsel, wie man vernünftig im Schnee gehen sollte. Es kam mir vor, als marschierte ich durch einen Sumpf, ständig steckte mein Fuß in einem schmatzenden Schlammloch fest. Ich hatte zudem noch nie in meinem Leben so viele Klamotten übereinander getragen. Ich fühlte mich damit, als hätte ich zwanzig Kilo zugenommen. Die vielen Schichten behinderten mich beim Gehen. Es dauerte lange, bis ich mich daran gewöhnt hatte. Ich sah wirklich unfassbar albern aus. Mein Winteroutfit hatte ich mir aus gespendeten Kleidungsstücken zusammengestellt: ein braunes Holzfällerhemd, eine dicke hellblaue Daunenjacke, Fäustlinge mit Motiven aus dem Film THE LION KING, ein gelber Schal, eine schwarze Wollmütze mit einem Chicago-Bulls-Aufnäher, weiß-blau gebatikte Jeans, zwei Paar weiße Tennissocken, darunter noch einmal dünne schwarze Damensocken – und eine lange, graue Unterhose. Das alles hatte mir die nette alte Dame von der Caritas besorgt. Sie hieß Karin Schmitt.

Als sie mich nach meiner Ankunft in meinen Sommerklamotten über den Hof rennen sah, kam sie mit einem Dolmetscher zu mir und war richtig wütend auf mich.

»Bist du bescheuert? Wir sind hier nicht in der Sahara! Du wirst sterben! Mein Gott, guck dich mal an!«

Ich fragte mich, wie sie sich das alles vorstellte. Einerseits hatte ich noch nie Winterklamotten besessen und andererseits hätte ich auf meiner Flucht unmöglich einen großen Reisekoffer mit Funktionskleidung für abenteuerliche Lebenslagen mit mir rumschleppen können.

»Im letzten Winter sind einem Flüchtling zwei Zehen abgefroren! Der Schlepper hat ihn irgendwo im Bayerischen Wald zurückgelassen. Der arme Kerl hatte nur Sommerkleidung dabei. Man fand ihn am Boden liegend auf einer Bundesstraße. Die Ärzte haben Erfrierungen dritten Grades an Füßen und Händen festgestellt. Er wäre fast gestorben. Also sei bitte kein Dummkopf und zieh dich warm an!«

Ohne Karin hätte ich vermutlich auch den einen oder anderen Zeh eingebüßt. Sie suchte mit mir zusammen ein paar Klamotten aus, wobei die Auswahl nach modischen Gesichtspunkten beschränkt war. Als meine Zimmergenossen mich zum ersten Mal in meinem skurrilen Polarforscheroutfit sahen, brach zuallererst Rafid in schallendes Gelächter aus.

»Meine Güte, du siehst vielleicht scheiße aus! Wie eine bunte Zwiebel!«

Trotz meiner Schutzkleidung war mir draußen so bitterkalt, dass ich jedes Mal, wenn ich rausgehen musste, lieber sofort wieder umgekehrt wäre, um mich in meinem Zimmer zu verkriechen und wie eine Fledermaus Winterschlaf zu halten. Die anderen schleppten mich trotzdem oft gegen meinen Willen mit zu einem Spaziergang.

»Sei kein Weichei!«, riefen sie, griffen mir rechts und links unter die Arme und schleiften mich über die Türschwelle in den Schnee.

Wenn ich doch einmal allein unterwegs war, halfen mir die vielen Geschäfte in der Stadt, um der ungewöhnlichen Kälte strategisch zu entgehen. Alle zwanzig Meter rannte ich in einen neuen Laden und benutzte ihn als Haltestelle. Ich tankte zum Beispiel etwas Wärme bei Tchibo, eilte dann flink über die Straße, um mich kurz im Vinzenzmurr oder in der Kik-Filiale aufhalten zu können. Leichter wurde es erst in der Fußgängerzone, weil sich die Geschäfte dort direkt aneinanderreihen.

Nur dank der Haltestellenstrategie konnte ich bei diesen Temperaturen überhaupt längere Strecken in der Stadt zurücklegen. Der beste Ort für alle Flüchtlinge in ganz Bayreuth war zweifelsohne das Rotmain-Center. Dieses schöne warme Gebläse zur Begrüßung, wenn man die zweistöckige Shoppingmall betritt! Überall war es warm und man konnte hier die Einheimischen beobachten, ohne gestört zu werden. Wir standen einzeln oder in kleinen Gruppen verteilt herum und schauten den Menschen beim Einkaufen oder beim Kuchenessen im Café zu. Durchs Rotmain zu spazieren war eine ideale Möglichkeit, die Zeit totzuschlagen. Denn wir konnten ja mangels Erlaubnis weder Deutsch lernen noch arbeiten gehen oder sonst etwas Sinnvolles mit unserer Zeit anfangen. Zugleich gaben wir uns in diesem Laden unserer Sehnsucht nach Normalität hin. Zu gern wollten wir sein wie sie. Einkaufen, im Café sitzen, Getränke bestellen und mit einer der vielen jungen Kellnerinnen plaudern. Aber wie sollte das gehen? Wir standen mittendrin und doch waren wir meilenweit von all dem entfernt. Die Einheimischen gingen shoppen, wir wärmten uns an ihren Leben.

DIREKT ZU BEGINN MEINES AUFENTHALTES im Asylantenheim musste ich zu einer Befragung in das Verwaltungsbüro. Ich erhielt eine sogenannte »Identitätskarte«. Das war ein Ausweis, der mir eine dreimonatige Aufenthaltserlaubnis bestätigte. Es war ein grünes, längliches Dokument, mit einem Foto von mir und meinen persönlichen Angaben. Der Beamte überreichte mir außerdem noch einen Zettel.

»Hier ist der Termin. Am 21. Februar um 8:30 Uhr. Bitte seien Sie pünktlich! Der Staat muss überprüfen, ob für Sie ein Anspruch auf Asyl besteht, ob es sich bei Ihnen um einen Flüchtling im Sinne der Genfer Flüchtlingskonvention handelt oder ob sonstige Abschiebungshindernisse vorliegen. Understand? Na dann: Pfiat di.«

Ich verließ das Verwaltungsbüro und kehrte rasch über den Hof in unser Haus zurück. Es war noch früh am Morgen. Meine Zimmergenossen hatten gerade Rührei gemacht und Tee gekocht und luden mich nun ein, mit ihnen zusammen zu frühstücken. Gerade als ich mich auf den Boden gesetzt hatte und dabei war, mit meinen Händen ein Stück Brot mit Ei zu belegen, fragte mich Salim nach meinen Asylgründen.

»Fahnenflucht«, antwortete ich kurz und knapp. Ich wollte ihm nicht alles von A bis Z verraten. Mein Wort war ihm und den anderen jedoch mehr als genug Information.

»Wenn du für den Rest deines Lebens im Asylantenwohnheim feststecken willst«, sagte Rafid, »dann erzähl ruhig diese Wahrheit.« Er wirkte mit einem Mal sehr verbittert, als habe ihm der Gedanke an die Asylgründe den Appetit verdorben. »Ich sag dir mal was: Du musst dir eine komplett neue Lebensgeschichte einfallen lassen.« Er hörte auf zu essen und drehte sich eine Zigarette.

Ich ließ mein Rühreibrot liegen, trank meinen Tee in einem Zug aus und nahm mir, ohne ihn zu fragen, Papier und Tabak aus seinem Beutel. »Und das heißt?«

Er zündete mir die Zigarette an. »Fahnenflucht ist kein ausreichender Grund, hier Zuflucht zu suchen. Andernfalls würden alle, die nicht in die Armee wollen oder die getürmt sind, Asyl erhalten. Das ist völlig utopisch, wenn du überlegst, wie viele Kriegsherde und stehende Armeen es auf der Welt gibt. Wenn rauskommt, dass du wegen Fahnenflucht hier bist, bekommst du nie eine Aufenthaltserlaubnis. Du erhältst dann eine Duldung. Mit diesem Status kannst du zwar außerhalb vom Heim wohnen, bist aber an Bayreuth gebunden und darfst weder verreisen noch studieren oder arbeiten. Wenn du sowieso keine Aufenthaltserlaubnis willst, dann sei ehrlich. Ich bin seit zwei Monaten da und weiß immer noch nicht, ob ich hierbleiben darf oder abgeschoben werde. Es ist nicht auszuschließen, dass ich den größten Fehler meines Lebens begangen habe, als ich dem Richter die Wahrheit sagte. Eigentlich habe ich ihm nicht mal die ganze Wahrheit erzählt, sondern nur einen winzigen Teil davon. Trotzdem bereue ich es zutiefst.«

»Ein echter Richter?«

»Ein halber Richter. Mein Dolmetscher sagte mir, diese Beamten seien die Entscheider beim Bundesamt für die Anerkennung ausländischer Flüchtlinge. Sie entscheiden, ob wir hierbleiben dürfen oder abgeschoben werden. Keine Ahnung, wie man sie offiziell nennt! Und ehrlich gesagt ist mir scheißegal, ob sie Richter, Henker oder sonst wie heißen.«

Ich blickte in Rafids schwarze, tief liegende Augen. Seine Gesichtszüge wirkten angespannt. »Was soll ich deiner Meinung nach machen, wenn ich vor einem solchen Richter stehe?«

»In diesem Land braucht man Anleitungen. Alles ist umständlich und kompliziert. Sogar der Fahrkartenkauf ist ein einziges Drama. Es gibt unendlich viele Arten von Fahrkarten. Selbst die Einheimischen begreifen es oft nicht.«

»Du bist echt ein Miesepeter«, sagte Ali, legte seine Hand auf Rafids Schultern und schüttelte ihn warmherzig. »Bitte hör auf damit. Sei nicht undankbar. Du kommst hierher und schimpfst die ganze Zeit auf diese Menschen, die dir ein Dach über dem Kopf schenken.«

»Das nennst du ›ein Dach‹? Wir sind hier in einem Knast, hast du das immer noch nicht begriffen? Wir befinden uns in einem dreißig Quadratkilometer großen, eiskalten Gefängnis. Es heißt Bayreuth.«

»Ach, hör doch auf!«

»Lass mich!« Rafid schlug Alis Hände von seinen Schultern. Die Stimmung im Raum war plötzlich angespannt. Für einen Moment schwiegen alle. Dann fragte mich Rafid: »Sag mal, Karim! Wie bist du überhaupt hierhergekommen? Mit dem Flugzeug, mit dem Zug, mit dem Auto oder zu Fuß?«

»Mit verschiedenen Autos, einem Schlauchboot und einem Schiff.«

»Also, davon darf keiner etwas erfahren, ist das klar? Du bist mit dem Lastwagen hergekommen. Und bist dabei in keinem anderen europäischen Land ausgestiegen. Nur so hast du nämlich das Recht auf Aufenthalt. Erzähl niemals, dass du dich in anderen westlichen Ländern aufgehalten hast, hörst du?«

»Ja, ja. Das wissen wir doch alle.«

»Am besten erzählst du, dass du mithilfe eines Schleppers aus dem Irak geflohen bist, zum Beispiel über die Türkei. Dort hat er dich in einem Lastwagen versteckt und bis nach Deutschland gebracht. Sag, dass du auf der ganzen Reise nur die Wände des Laderaumes gesehen hast, ohne zu wissen, wo genau du bist. Mehr nicht.«

»Aber wer glaubt denn so einen Quatsch? Wie soll ich tagelang in einem Lastwagen gelebt haben? Wohin habe ich da gepinkelt oder geschissen? Außerdem muss man sich doch auch mal die Beine vertreten.«

»Sag einfach, du hast Flaschen und Tüten verwendet. Und Kniebeugen gemacht.«

»Das ist echt unglaubwürdig!«

»Wenn du erzählst, dass du in Rom warst, schicken sie dich sofort nach Italien zurück, weil es ein Asylland ist. Die Italiener schicken dich daraufhin mit einem Polizeiauto postwendend nach Deutschland zurück. Du wirst vermutlich Wochen oder Monate in einem Teufelskreis feststecken. Du wirst wie ein Ball zwischen italienischen und deutschen Grenzpolizisten hin- und hergeworfen.«

Er machte eine kurze Pause und sah mich belehrend an. »Was hast du gesagt, als du dich bei der Polizei gemeldet hast? Oder haben sie dich etwa erwischt?«

»Ich wurde festgenommen.«

»Ah, das ist kein Problem.«

»Nichts habe ich erzählt. Sie haben meine Fingerabdrücke abgenommen, mich fotografiert, meine persönlichen Daten aufgeschrieben und mich anschließend in ihrer Zelle vergessen.«

»Dann kannst du dich gut vorbereiten. Ich bin da, wenn du Hilfe benötigst.«

»Natürlich brauche ich Hilfe. Was soll ich dem Richter nun sagen? Warum bin ich jetzt hier?«

»Die Grundregel ist: Niemals die Wahrheit sagen! Sag, dass du mit der Opposition zusammengearbeitet hast. Der Staat sucht dich seit Jahren. Und du kannst nicht mehr dort leben, weil du sonst ins Gefängnis kommen und gefoltert oder sogar hingerichtet werden würdest. Das können die eh nicht kontrollieren. Ist ja nicht so, als würde Saddam für jeden eine Akte anlegen und eine Kopie davon an alle Asylländer schicken. Die Hauptsache ist, dass du den Richter von zwei Dingen überzeugst. Erstens: dass du nicht in deine Heimat zurückkehren kannst. Und zweitens: dass du bisher in keinem anderen Asylland warst.«

»Ich habe zu Hause nicht einen einzigen wirklichen Regimegegner kennengelernt. Alle, die ich kenne, schimpfen zwar auf die Regierung, aber keiner von ihnen hat richtig etwas gegen sie unternommen. Und hier im Asylantenheim wimmelt es jetzt plötzlich vor Revolutionären oder was?«

»Natürlich sind wir nicht alle politisch engagiert. Die

meisten von uns haben von Politik absolut keine Ahnung. Sie kommen trotzdem hierher und beantragen Asyl. Sie wollen einfach ein ruhiges Leben führen. Es ist doch völlig absurd, dass man erst ernsthaft verfolgt und gefoltert werden muss, um ein Recht auf Asyl zu erhalten.«

»Ich zum Beispiel«, warf Salim ein, »bin nicht wegen Saddam geflohen, sondern wegen meines Vaters. Der war ein Diktator! Ein richtiges Riesenarschloch!«

Alle lachten.

»Und was hast du dem Richter erzählt?«, fragte ich ihn in der Hoffnung, etwas in Erfahrung zu bringen, das mir selbst weiterhelfen könnte.

»Das natürlich nicht. Der hätte ja gedacht, ich sei ein pubertierender Jugendlicher. Ich habe eine aufregende Geschichte erfunden. Nach meiner Verhandlung habe ich ernsthaft darüber nachgedacht, Schriftsteller zu werden. Ich bin ein großer und guter Lügner. Aber ich bin hier wirklich nicht der Einzige, für den das gilt. Vorhin habe ich einen Typen in der Küche getroffen. Einen Syrer. Ich habe seine Herkunft durch den Dialekt sofort erkannt. Er behauptete, er sei Iraker. Auch ein Kurde letzte Woche, der überhaupt gar kein Arabisch konnte, log mir mitten ins Gesicht, er sei ein Araber aus dem Süden. Neulich hat mich sogar ein Palästinenser ganz nebenbei ausgefragt, welche Sehenswürdigkeiten es in Bagdad gebe. Glaubst du, der fragt mich das, weil er gerade seinen nächsten Sommerurlaub im Irak plant? Nein, Mann, der will sich als Iraker ausgeben.«

»Alle wissen, dass du momentan als Iraker leichter Asyl bekommst«, sagte Rafid, »als wenn du aus einem Land ohne Diktatur stammst. Oder zumindest ohne Diktatur, die gefürchtet ist. Das Lustige daran ist, dass die Bevölkerungszahl des Iraks außerhalb des Iraks immer größer wird. Aber so ist das eben. Menschen aus vielen Ländern haben hier kein Recht auf Asyl. Also geben sie sich als Iraker aus, um eine Aufenthaltserlaubnis zu erhalten. Kurden beispielsweise haben richtig miese Karten. Die versuchen, sich als Araber zu verkaufen.«

»Aber sie sind doch Iraker«, sagte ich, weil es überhaupt keinen Sinn ergab, was Rafid da erzählte.

»Ja, für dich. Für dich sind das Iraker. Aber seit dem Golfkrieg 1991 verwalten sie sich im Nordirak selbst. Mit amerikanischer Unterstützung. Deshalb haben sie kein Asylrecht in Deutschland, weil sie dort keine Diktatur mehr haben.«

»Oh Mann, das ist echt kompliziert.«

»Überhaupt nicht. Am Anfang hatte ich auch keine Ahnung. In einer Woche schon wirst du den Neulingen helfen, wie ich dir jetzt helfe. Wir können in diesem Land nichts weiter machen, als uns zu langweilen, ins Rotmain-Center oder zu Karstadt zu gehen oder uns über die Vorschriften und Gesetze zu informieren, um vielleicht eine neue Lücke zu finden, die unser Überleben sichert.«

»Und hast du noch einen anderen guten Tipp, damit ich mich auf meine Verhandlung vorbereiten kann?«

»Denk an die Details deiner Geschichte! Du musst die Daten und Namen auswendig lernen. Das gilt auch für Orts- und Zeitangaben. Der Richter wird dich noch einmal nach Angaben fragen, die du schon vorher irgendwo gemacht hast, nur um zu sehen, ob du dir nicht selbst widersprichst. Du musst alles auswendig können! Erzähle dir deine Geschichte selbst so oft, bis du glaubst, alles wäre in Wirklichkeit genau so geschehen. Geh die Lüge so lange im Kopf für dich durch, bis du wirklich glaubst, sie sei wahr!«

Die zahlreichen Paragrafen und Vorschriften, die dieses Land unter sich begraben, wenigstens einigermaßen zu begreifen wurde zu meiner wichtigsten Aufgabe, Frau Schulz. Den irakischen Behördenapparat habe ich beizeiten hassen gelernt, weil er so chaotisch und bürokratisch ist wie eine göttliche Strafe, die keine Gnade kennt. Nun aber gab mir die stumpfsinnige entseelte deutsche Verwaltung wirklich den Rest. Ich war schon nach wenigen Minuten des Nachdenkens erschöpft von all den Stolpersteinen, die ich umgehen musste, und versuchte an einer Lebensgeschichte zu basteln, die das Gesetz anerkennen würde. Während dieser Zeit blieb ich meist den ganzen Tag über matt und überfordert auf dem Bett liegen. Jede Minute wünschte ich mir, dass der Tag der Verhandlung endlich vorüber wäre. Und dass ich dieses bekloppte Spiel gewinnen würde.

Drei Wochen vergingen und ich hatte mir noch immer keine passende Lüge ausgedacht, um den Richter davon zu überzeugen, mir Asyl zu gewähren. Meine echte Vergangenheit erschien mir mit einem Mal albern und nichtig. Ich fühlte mich schlecht. Dabei hatte ich eigentlich immer gedacht, meine Biografie sei einigermaßen aufregend. Wie alle Iraker hatte ich so viele tragische Dinge erfahren müssen, dass sie für mehrere Leben gereicht hätten. Doch vor dem deutschen Gesetz wurden sie schlagartig unwichtig, weil sie nicht ins Raster passten oder ich keine Beweise erbringen konnte. Ich wusste plötzlich nicht mehr, wie ich mich verhalten sollte, und fragte mich sogar, wieso ich überhaupt aus dem Irak abgehauen war.

Das mit der Fahnenflucht war ja schon eine halbe Lüge. Über den wahren Grund wollte ich mit keinem Menschen reden. Das ist meine persönliche Geschichte, die ich nicht gern öffentlich breittreten möchte. Bis heute habe ich sie niemandem erzählt, nicht im Irak und nicht in Deutschland, auf keinem Amt, bei keinem Gericht und auch keinem Freund. Nur ein paar Ärzten und der Krankenkasse. Und Ihnen, Frau Schulz, Ihnen erzähle ich sie jetzt.

LIEBE FRAU SCHULZ, bis zu meinem vierzehnten Lebensjahr besaß ich alles, was ein Junge benötigt, um ein echter Mann zu werden: eine starke, glatte Brust und eine kräftige Stimme. Barfuß und mit nacktem Oberkörper stolzierte ich über den Hauptplatz meines Viertels in Bagdad. Ich gockelte von morgens bis abends durch die Gegend, die Sonne flatterte auf meiner braunen Haut.

Dann kam ich in die Pubertät. Rasch trat die körperliche Veränderung ein. Schultern und Brustkorb wurden breiter, die Stimme wurde tiefer, die Behaarung nahm zu und natürlich das Interesse an Sex. In meinen Träumen tummelten sich plötzlich nackte Frauen, die es nach allen Regeln der Kunst mit mir trieben. Oft erkannte ich meine Lehrerinnen, Cousinen, Nachbarinnen, Schulfreundinnen, sogar meine Schwester Samira, was mir selbst im Schlaf unendlich peinlich war. Häufig erwachte ich mit nasser Unterhose. Das Verlangen nach Sex überwältigte mich so sehr, dass ich mich tagsüber oft unter der Decke versteckte und masturbierte. Auf der Schultoilette wichste ich eines Tages sogar mit vier Schulkameraden auf das Foto eines entblößten blonden Models. Und genau zu jener Zeit, als ich mit den anderen Jungs jeden Markt in Bagdad nach immer neuen Nacktfotos absuchte, begann das größte Drama meines Lebens.

Im Bad unter der Dusche drückte ich mit der rechten Hand auf meinen Penis und streichelte mir mit meiner linken über den Oberkörper. Ich erschrak, fühlte er sich doch plötzlich anders an. Es kam mir vor, als wäre meine Brust angeschwollen. Ich dachte zunächst, dass meine Brustmuskeln durch das ständige Masturbieren angewachsen sein könnten, und machte mir nicht viele Gedanken darüber. In den folgenden Tagen jedoch drehte mein Körper komplett durch. Innerhalb kürzester Zeit wuchsen mir Brüste, echte Brüste.

Täglich tastete ich sie ab und merkte, wie sie runder und fülliger wurden. Nach nur wenigen Wochen hatte ich anstelle meiner harten Männerbrust einen echten Frauenbusen.

Ich war geschockt. Andauernd lief ich ins Bad und verharrte bestürzt vor dem Spiegel, um den Knaben mit dem Busen in einer Mischung aus Abscheu und Angst anzustarren. Mir kam es vor, als sei das nicht länger mein Körper und als verwandelte ich mich in ein Monster. Ich wäre nicht verwundert gewesen, hätte sich auch mein Penis in eine Vagina umgeformt. Zu masturbieren wagte ich kaum noch, da die Veränderung meines Körpers mir die Lust darauf gründlich vergällt hatte. Ich berührte meinen Penis lediglich alle paar Tage mal, um mich zu vergewissern, dass es ihn überhaupt noch gab.

Ich fing auch an, mir einzubilden, dass mein Hintern auseinanderging, um apfelrund wie der von Samira zu werden. Einige herzhafte Backengriffe beruhigten mich wenigstens in diesem Punkt: Mein Po war kräftig und fest wie eh und je. Trotzdem überkam mich das Gefühl, der Geist einer Frau verstecke sich in mir, zumindest in der oberen Körperhälfte, während die untere männlich blieb.

In der Nacht träumte ich von Dingen, die mir unendliche Angst einjagten. Männer küssten meine Brüste und bissen hinein. Sie stiegen einer nach dem anderen auf mich und vergewaltigten mich. Ich weinte bitterlich und flehte sie an aufzuhören. Einer rief voll Geifer »Halt's Maul!« und schlug mir ins Gesicht. Ich schrie und wachte schweißgebadet auf. Ich schaute schnell in den Spiegel neben meinem Bett. Aber dort sah ich nicht mein Gesicht, sondern das meiner Freundin Hayat.

Frau Schulz, gedulden Sie sich. Ich muss hier kurz eine Pause einlegen und mir einen Joint drehen. Mir fällt es nicht leicht, von Hayat zu erzählen. Sie ist der Grund dafür, dass ich mit ziemlich vielen Dingen des Lebens nicht klarkomme. Ihretwegen zum Beispiel meide ich die türkischen Supermärkte, die es hier an jeder Ecke gibt, und ebenso kann ich wegen Hayat nicht entspannt mit den Zeugen Jehovas umgehen.

Nur ein einziges Mal habe ich, seit ich in Deutschland bin, ein türkisches Lebensmittelgeschäft betreten. Ich bekam Schweißausbrüche und schwor mir, es nie wieder zu tun. Seitdem kaufe ich meine Sachen in normalen Supermärkten wie Lidl oder Norma, obwohl ich deren Warensortiment im Vergleich zum Angebot der Türken beschränkt finde. In deutschen Supermärkten gibt es jedoch dieses Mineralwasser nicht, das mich aus der Bahn wirft, wenn ich es sehe. In blauer Schrift prangt auf all diesen Flaschen ein ziseliertes Logo: HAYAT.

Das ist übrigens eine arabische Vokabel, die die Türken

scheinbar wahllos übernommen haben. Sie bedeutet: Leben. Diese verdammten Osmanen! Da raubten sie alles aus ihren Kolonien und dann schließlich sogar »das Leben« aus unserer Sprache.

Und die Frauen von den Zeugen Jehovas wollte ich manchmal am liebsten direkt aus dem Fenster werfen, wenn sie mal wieder bei uns vorbeikamen. Jeden Monat klopften sie im Heim an meine Tür, wollten mich missionieren und reichten mir ihre arabischen Hefte. »Das Leben vor dem Tod«, »Das Leben nach dem Tod« oder nur »Das Leben«. Hayat, Hayat, Hayat.

Jahrelang versuchte ich, dieses Wort zu ignorieren, verwendete stattdessen »Welt«, »Kosmos«, »Universum« oder »Diesseits«, je nach Kontext, aber niemals »Hayat«. Das Wort »Leben« ist noch immer ein Dolch, der tief in meiner Seele steckt. Allein sein Klang schmerzt so sehr, dass ich ihn kaum ertragen kann.

Als ich meine Hayat zuletzt sah, liebe Frau Schulz, war ich zwölf Jahre alt und hatte noch nicht das Problem mit den Brüsten. Damals entsprach mein Aussehen noch dem Traum jeder Mutter: pechschwarze, glänzende Haare, stechend scharfe Augen wie die eines Raubvogels sowie eine geschmeidige und zugleich kraftvolle Gestalt. Bei den Frauen der Familie, bei den Damen in der Nachbarschaft und bei meinen Lehrerinnen war ich sehr beliebt. Sie überschütteten mich regelmäßig mit Küssen und Berührungen. Schon mit acht Jahren fand ich so meine erste Freundin: Hayat.

Sie war fast achthundert Tage älter als ich, was uns damals wie ein halbes Leben vorkam. Ihre Schönheit wirkte auf mich so geheimnisvoll, dass ich sie zeitweise für eine

Meerjungfrau aus der Tiefe des Ozeans hielt. Ihre braunen Haare erinnerten an die Mähne eines spanischen Pferdes, in ihren schwarzen Augen strahlte das Weiße wie ein Halbmond in einer Sommernacht, und ihre winzige Nase glich der von Biene Maja.

Hayat galt als das mit Abstand reizvollste Mädchen des Bezirks. Doch trug sie ein schweres Schicksal mit sich herum. Sie war taub und stumm. Trotzdem fiel es mir leicht, sie zu verstehen. Sie kommunizierte mit ihren Händen und mit ihren Augen.

Zart und schlank wie ein Streichholz, war Hayats Spitzname dennoch »der Panzer«, weil sie sich wie einer benahm, wenn sie Gefahr verspürte. Einmal schlug sie einem Jungen mit voller Kraft einen Stein auf den Kopf, sodass das Blut aus seiner Stirn heraussprudelte wie aus einem Wasserhahn. Er hatte zuvor versucht, ihr an den Hintern zu grapschen. Nach diesem Tag nannte man den Kerl nie wieder bei seinem Namen, sondern nur noch »Brunnenkopf«.

Die Leute im Viertel hielten Hayat wegen ihrer Taubheit und solcher Verhaltensweisen für geistig zurückgeblieben. Für mich allerdings war sie perfekt: sanft und rebellisch. Mir kam sie vor wie ein grüner, junger Ast, der zwar unreif und zart zu sein scheint, aber weder entzündbar noch zu brechen ist.

Als Hayat dreizehn Jahre alt wurde, begann ihre Weiblichkeit Gestalt anzunehmen. Ihr Busen war mit einem Mal so rund und mystisch wie die Kuppel einer wunderschönen Moschee. Mehr und mehr überkam mich die Sorge, dass möglicherweise andere auf die Idee kommen könnten, mir Hayat wegzunehmen. Es war nicht zu übersehen, wie die Männer des Viertels auf ihren Hintern starrten, und ebenso war nicht zu überhören, wie sie über sie sprachen und tuschelten. Ich wusste, wenn ein Mädchen aussieht wie Hayat, wollen alle Männer es heiraten – auch wenn es stumm und taub ist.

Dass jemand anderes sie heiraten könnte, war jedoch eine schreckliche Vorstellung für mich. Hayat wäre fortan äußerst selten auf der Straße zu sehen gewesen. Sie hätte im Haus ihres Ehemanns bleiben müssen, und wenn sie doch einmal herausgekommen wäre, dann nur verborgen unter einem Schleier, der ihre wunderschönen Haare vor mir versteckt hätte.

Eines Sommertages, liebe Frau Schulz, kehrte ich von der Schule heim, aß mit der Familie und ging dann wie üblich nach draußen, um irgendeinen Unsinn anzustellen. Alle Jungs versammelten sich wie immer auf dem Hauptplatz des Viertels, spielten Fußball, prügelten sich oder jagten mit ihren Steinschleudern die Spatzen. Auch einige Mädchen gesellten sich dazu, während andere ihren eigenen Spielen nachgingen oder in kleinen Gruppen beieinanderstanden und sich unterhielten. Wie an jedem Tag wartete ich vor dem Eiscremeladen auf Hayat. Allerdings tauchte sie an diesem Tag nicht auf. Irgendwann entschied ich mich, nicht länger auszuharren, sondern nach ihr zu suchen. Ich ging zu ihrem Elternhaus und klopfte an die Tür, erhielt aber keine Antwort. Vorsichtig lugte ich durch das Schlüsselloch und rief: »Hallo?« Keine Antwort. Im Hof gähnende Leere. Nichts da, außer Müll. Ich ging links um das Haus herum und versuchte, durch ein Fenster ins Wohnzimmer zu schauen. Nichts. Das Haus war leer geräumt, als würde dort keiner mehr wohnen.

Eine alte Frau tauchte plötzlich wie aus dem Nichts auf. »Geh weg, Junge! Du hast hier nichts zu suchen! Geh! Hau ab!«

»Ich will nur zu Hayat!«, sagte ich. »Wo ist sie denn?«

Die Alte zog sich einen Schuh aus und wedelte damit bedrohlich über dem Kopf. »Wenn du nicht auf der Stelle verschwindest, wird mein Schuh dir die Fresse küssen!«

Ich rannte schnell weg, drehte mich noch einmal um und sah, wie die Frau noch immer vor dem Haus stand wie ein Wachsoldat. Am nächsten Abend erfuhr ich, dass Hayats Familie umgezogen war. Wohin? Das wusste keiner so genau. Warum? Das wusste jeder, Frau Schulz. Außer mir.

Erst Tage später erzählte man es mir. Ein Nachbarsmädchen hatte beobachtet, wie Hayat zu drei erwachsenen Männern in ein Auto gestiegen war. Sie sind wohl mit ihr an den Rand unseres Viertels gefahren, haben sie dort vergewaltigt und ihre Leiche wie einen Müllsack im Staub liegen lassen, direkt neben dem Kinderfriedhof.

Unzählige Male habe ich versucht, nachzuempfinden, was sie an jenem Tag erlebt hat, wie sie gelitten hat und auf welch grausame Art sie gestorben ist. Ein immer wiederkehrender Traum begleitet mich durch mein Leben, seit ich von Hayats Schicksal erfahren habe: Hayat spielt vor der Schule, die sie nicht besuchen darf, weil sie taub und stumm ist. Wenn sie ihrer Mutter nicht im Haushalt helfen muss, ist sie jeden Tag hier. Sie setzt sich auf die Mauer, um die Schüler zu beobachten, wie sie umherrennen, schreien und sich schubsen. Hayat trägt ein luftiges Kleid mit weißem Blumenmuster und hält ein farbiges Buch in der Hand. Sie wünscht sich, wie jenes Mädchen zu sein, dessen Bild auf dem Cover des Buches abgebildet ist: *Alice im*

Wunderland. Ich habe es ihr zum dreizehnten Geburtstag geschenkt. Hayat bewundert die blonde Jungfrau im Wald mit ihrem strahlenden Lächeln. »Ich bin Alice«, denkt sie und lächelt einen Spatz an, der es sich neben ihr auf der Mauer bequem gemacht hat.

Sie weiß, dass sie bald vierzehn Jahre alt wird und sich auf das nächste Geschenk freuen kann. Noch weiß sie nicht, dass ich ihr *Aschenputtel* schenken will. Bestimmt wird sie danach ihren Schuh irgendwo liegen lassen, um von einem hübschen Prinzen gefunden und geheiratet zu werden.

Sie geht nach Hause, isst mit der Familie zu Mittag und lächelt wie immer ihr zauberhaftes Lächeln. Dann kommt sie zu mir. Zusammen spazieren wir zu einem Ort im Stadtpark, an dem sich ein kleiner See befindet. Die Schmetterlinge dort liebt sie über alles. Wir spielen bis in die Abenddämmerung hinein Verstecken und Fangen. Nur widerwillig machen wir uns auf den Heimweg. Zum Abschied küsse ich sie sanft auf die Wange. Wir trennen uns und gehen in entgegengesetzte Richtungen weiter.

Bevor Hayat das Haus ihrer Familie erreicht, stellt sich ihr ein großes, schwarzes Auto mit getönten Scheiben in den Weg. Drei Männer steigen aus, jeder hält ein Bilderbuch in der Hand, sie zeigen sie ihr. Hayat erblickt die schönen Mädchen auf den Umschlägen, nähert sich den Fremden. Sie erkennt Schneewittchen, der Zweite wedelt mit Dornröschen, der Dritte mit Rotkäppchen. Sie tritt näher. Aber immer wenn sie einen Schritt auf die Bücher zumacht, weichen die Männer einen Schritt zurück. Hayat ist wie hypnotisiert und schnappt nach den Büchern. Sie läuft den Männern entgegen, die ihre Gesichter hinter den

Büchern verbergen. Dann plötzlich lässt einer von ihnen sein *Schneewittchen*-Buch fallen und eine grimmige, bärtige Fratze starrt Hayat lüstern an. Er packt sie und zieht sie mit Gewalt zu sich heran. Ein anderer wirft *Rotkäppchen* auf den Boden und schlägt Hayat von hinten besinnungslos. Zu dritt zerren sie sie in den Wagen. Die Türen des Autos knallen zu. Der Fahrer gibt Gas. Hayat liegt da. Alles um sie herum ist dunkel, neben ihr schlafen Schneewittchen, weiß wie Schnee, Dornröschen im hundertjährigen Schlaf und Rotkäppchen mit der Kappe, so rot wie Blut.

Oft erwache ich schweißgebadet und zitternd aus diesem Traum, als hätte ich wirklich mit angesehen, was danach geschah. Doch mein Unterbewusstsein sträubt sich, mir diese Bilder zu zeigen. Dabei bin ich mir nicht sicher, ob die Lücke nicht weitaus quälender ist.

Hayats Leiche hat man am Rande unseres Viertels beerdigt, genau dort, wo die drei Männer sie vergewaltigt und getötet hatten. Ihre Eltern wollten nicht, dass die Nachbarn von den Geschehnissen erfuhren. »Als Ehrloser ist man bereits tot, selbst wenn man noch atmet«, sagte meine Mutter damals weinend. Hayats Eltern packten nur einen Tag nach den Geschehnissen ihre Koffer, und bis heute weiß niemand, wo sie nun leben.

Eines Nachmittags bat ich meine ältere Schwester Samira darum, mit mir zusammen zu Hayats Grab zu gehen. Normalerweise durften wir diese Gegend nicht betreten. Meine Eltern behaupteten, es sei dort gefährlich. Immer wieder wurden hier Tote von ihren Mördern abgelegt, die Opfer waren fast ausschließlich Frauen und Kinder. Eigentlich war das aber ein normaler Friedhof.

Die Bewohner des Viertels bezeichneten ihn nur als »Kinderfriedhof«, weil hier eben vor allem tote Kinder begraben waren.

Ich war froh, dass Samira auf meinen Wunsch einging und mich begleitete. Auf dem ganzen Weg zum Friedhof hatten wir beide unendliche Angst und schwiegen. Die Gegend war karg und staubig, auch der Friedhof selbst. Überall gelbe Erde, ein paar wild wuchernde Pflanzen. Im Staub lagen hier und da ein paar Steine, auf die man die Namen der verstorbenen Kinder gepinselt hatte. Wir suchten Hayats Grab. Ich stellte mir vor, ich sei der Prinz, der sein Dornröschen einfach küssen und aus dem ewigen Schlaf befreien würde. Fast zwei Stunden lang suchten wir Hayat, fanden aber nirgendwo ihren Namen. Mein Kopf fühlte sich bleischwer an. Die vielen Namen der Toten machten mich mürbe, genau wie der Gedanke, dass hinter jeder Buchstabenreihe ein Schicksal stand, ein Mensch, der einst gelebt hatte und geliebt wurde, ein Mensch wie wir. Irgendwann meinte Samira, sie höre Stimmen, die sich näherten.

»Lass uns lieber wieder gehen. Vielleicht wollte die Familie ihren Namen nicht öffentlich machen und hat sie anonym bestattet.«

Auf dem Heimweg drehte ich mich manchmal um und wünschte mir, Hayat liefe plötzlich hinter uns her. Als wir schon fast wieder zu Hause waren, frischte mit einem Mal der Wind auf. Ich hatte das Gefühl, eine Hand oder ein Haar streichelte zart über meine Wange. Hayat, das war Hayat! Ich glaubte, sie zu riechen. Die Augen schließend genoss ich diesen flüchtigen Eindruck von Nähe, der so rasch verflog, wie er herangeweht war. Als meine Schwester merkte, dass ich weinte, beugte sie sich zu mir, umarmte mich und weinte mit mir. Ich schluchzte und schniefte, die ganze aufgestaute Trauer brach heraus. Ich heulte lang und heftig.

Bis zu diesem Moment hatte ich Hayats Tod mit einer seltsamen Reaktionslosigkeit hingenommen und nicht trauern können. An diesem Tag war alles anders. Ich hatte mich in den vergangenen Stunden nicht nur von Hayat verabschiedet, sondern auch von meiner Kindheit.

Manchmal, Frau Schulz, glaube ich, Hayat wollte mich für den Rest meines Lebens begleiten und deswegen schenkte sie mir aus dem Jenseits einen Teil ihres Körpers. Deshalb wurde ich so ein seltsames Wesen. Einerseits mit einem prächtigen Penis ausgestattet, andererseits mit einem wohlgenährten Frauenbusen. Letzteren verberge ich bis heute unter möglichst weit geschnittener Kleidung.

Damals in Bagdad fürchtete ich sogar, von den Jungs meines Viertels vergewaltigt zu werden, wenn sie erfuhren, dass ich zur Hälfte eine Frau war. Ich bemühte mich, ein echter, harter Kerl zu sein, hing mit den Männern herum, versuchte meine Stimme kräftiger klingen zu lassen und drückte jedem einen festen Handschlag hin. Das Spiel gelang ganz gut, aber im Laufe der Zeit wurden meine Brüste größer und sichtbarer, wenn ich sprang oder rannte oder mich vornüberbeugte. Die Lösung brachten eng anliegende Unterhemden, die meinen Oberkörper straff zusammenpressten.

In jener Zeit versuchte ich, mit viel Sport, hauptsächlich Liegestützen, vielleicht doch noch eine feste Männerbrust entstehen zu lassen und mich von den ungeliebten

Brüsten zu befreien. Zwar wurden meine Muskeln unter den Brüsten fühlbar, wenn ich sie anspannte, aber der Busen blieb prall und groß wie zuvor. Ich wusste nicht, was die Ursache sein könnte. Nie zuvor hatte ich gehört, dass einem Mann so etwas wächst. Und niemandem konnte ich es anvertrauen.

Samira heiratete bald und wohnte bei ihrem Ehemann in einem anderen Stadtviertel von Bagdad. Oft besuchte ich sie und verbrachte manchmal den ganzen Tag bei ihr, brachte es jedoch nicht zustande, mit ihr über mein Problem zu sprechen. Innigst hoffte ich bei jeder Umarmung, sie bemerkte es vielleicht selbst und spräche mich auf meine Brüste an. Aber alles Hoffen blieb vergeblich.

Mein Leben änderte sich komplett durch mein körperliches Durcheinander. Bäder wurden für mich zu einer absoluten Verbotszone. Ich war auf alle Jungs neidisch, die einfach so halbnackt durch ein Schwimmbad stolzieren konnten. Da war es mir eine Erleichterung, dass in dem schönen Fluss Tigris, der durch Bagdad strömt, auch sonst niemand schwimmen konnte, ganz egal, ob er Brüste hatte oder nicht. Die Regierungsleute, die Minister und ihre Angehörigen beanspruchten den Fluss nämlich vollständig für sich. Sie bauten ihre Luxusvillen und Paläste direkt ans Ufer, sodass es fast überall Absperrungen gab und man in ganz Bagdad nirgendwo baden durfte außer im Schwimmbad.

Der nächste Verzicht betraf das Fußballspielen. Trotz engster Unterhemden – die Vorstellung, in einer Umkleidekabine mit den anderen ein Trikot anziehen zu müssen, jagte mir Angst ein. Ich fing an, den Sommer zu hassen, und liebte dafür den irakischen Winter, der im Gegensatz zu diesem eisigen Elend hier in Deutschland angenehm mild ist.

So zog ich mich im Sommer weitgehend zurück und verbrachte meine Zeit vor allem zu Hause. Das wiederum eröffnete mir eine völlig neue Welt, nämlich die der Comics. Ich sammelte zahlreiche Zeitschriften und Hefte, auch Zeitungen, in denen Cartoons abgedruckt waren. Auf dem Flohmarkt konnte ich sie günstig kaufen, Storys aus vielen verschiedenen arabischen Ländern, soweit es Saddams Zensur eben zuließ. Ich begann irgendwann selbst zu zeichnen und Geschichten zu erfinden, entwickelte eine eigene Comicserie, in der es um Außerirdische ging, die unsere Erde eroberten und weder Mann noch Frau waren, sondern etwas dazwischen. Sie versuchten, die männlichen Eigenschaften auf unserem Planeten auszulöschen, indem sie die Geschlechtsorgane der Männer abschnitten und ihnen stattdessen künstliche Vaginen einpflanzten. Ich war selbstverständlich der Held, der gegen sie kämpfte.

Ich wünschte mir, liebe Frau Schulz, eine Freundin. Aber wie sollte ich das anstellen? Bis heute verfolgt mich die ständige Angst, von Männern geschlagen, gedemütigt oder vergewaltigt zu werden – und von Frauen ausgelacht oder als ekelhaft empfunden.

Vermutlich wäre mir nie im Leben der Gedanke gekommen, mein Land zu verlassen, wenn diese elenden Brüste nicht aufgetaucht wären. Mein Leben steuerte damals allerdings unaufhaltsam einem Riesenproblem entgegen: der Wehrpflicht.

Im Fernsehen sah ich oft, wie die Soldaten mit nacktem Oberkörper über den Exerzierplatz marschierten und

»Seid bereit, immer bereit!« riefen. Wie würden diese Soldaten mich wohl anschauen, wenn ich mit wackelnden Brüsten neben ihnen stünde und »Seid bereit, immer bereit!« skandierte? Wie würden diese monatelang kasernierten Männer, die niemals Frauen zu sehen bekamen, mit mir umgehen?

Es existiert eine Bezeichnung, die Soldaten verwenden, wenn sie jemanden als unwichtig betrachten: »Al-Arif«, »Helfer des Unteroffiziers«. Diese Handlanger müssen alles für ihre Vorgesetzten tun. Klamotten waschen, kochen, die Taschen tragen und ihnen nachts einen runterholen, wenn es gewünscht wird. Diese Leute sind faktisch die Ehefrauen der Generäle, oft homosexuell oder zu Sexsklaven gemacht. So die Gerüchte.

Damals war ich bereit und entschlossen, alles zu tun und überallhin zu gehen, nur um nicht in die Armee zu müssen. Ich wollte kein al-Arif werden und dachte sogar über Selbstmord nach. Aber letztlich sollte zunächst mein Schulabschluss darüber entscheiden, wie sich mein Leben fortsetzte, ob ich als Sexsklave in einer Kaserne oder als Student an der Universität enden würde. Im Bildungsministerium entschied man nämlich auf Grundlage der Abschlussnote, ob ein Schüler nach der Schule zum Militär gehen musste oder erst einmal an einer Universität studieren durfte. Dabei blieb unklar, welche Note genau ausreichte, weil sich die Bewertungskriterien jährlich änderten und nicht öffentlich waren. Vermutlich richteten sie sich nach dem jeweiligen Bedarf der Regierung an Soldaten.

Mit einundsechzig von einhundert möglichen Punkten bestand ich meine Abiturprüfung. Das Ministerium verkündete kurz darauf die Mindestzahl, mit der man dem Militärdienst bis zum Ende des Studiums entgehen konnte. Alle Absolventen, die darunter lagen, zogen sie sofort ein. Die Zahl lautete: vierundsechzig.

Es folgte eine unglaublich schwere Zeit für mich. Meine Suizidgedanken wurden immer konkreter. Aber am Ende brachte ich es meiner Eltern wegen nicht übers Herz. Ich war der einzig verbliebene Sohn. Mein älterer Bruder Halim war 1991 an der Front gestorben, meinen jüngeren Bruder verlor meine Mutter bei der Geburt. Diese Erinnerung hielt mich davon ab, meinen Eltern den neuerlichen Verlust eines Kindes zuzumuten. Ohne auch nur im Geringsten an einen Erfolg zu glauben, entschloss ich mich dazu, meinem Vater einen absurden Vorschlag zu machen.

»Ich möchte studieren. Ich will ins Ausland, Papa!«

»Ja, mein Junge. Dich will ich nicht auch noch verlieren. Für genau so einen Moment habe ich in den letzten Jahren sogar extra Geld zur Seite gelegt. Hau ab!«

Ungläubig schaute ich ihn an. Ich dachte, er macht einen Witz. Je länger er schwieg und wir uns in die Augen blickten, desto klarer wurde mir, dass er das ernst meinte. Ich fiel ihm um den Hals wie ein kleines Kind. Mein Vater nahm schon am nächsten Tag Kontakt zu seinem Freund Murad in Paris auf und durch Verwandte von Verwandten fand er einen Schleppervermittler.

Immer wieder hatte ich gelesen und gehört, in Europa gebe es Chirurgen, die sehr gute Schönheitsoperationen durchführen könnten. Das sei zwar teuer, aber machbar. Auch in meinem Fall. Ich wünschte mir nichts sehnlicher als eine wundervoll glatte Männerbrust. Ich wollte mich endlich wieder vollwertig fühlen. Über Suizid dachte ich keinen Augenblick mehr nach. In mir wuchs die Vorstellung, im Ausland ganz normal zu arbeiten, Geld zu sparen, um mir irgendwann die Operation leisten zu können.

Frau Schulz, ich habe es probiert. Seit ich in Deutschland angekommen bin, habe ich es versucht. Aber weder brachte die Arbeit in den letzten drei Jahren genug Geld ein, noch zeigte sich die Krankenkasse dazu bereit, mich zu unterstützen. Und das, obwohl mein Hausarzt mich zu einem Psychiater überwiesen hat, der nach dem Gespräch bestätigte, dass meine Brüste eine psychische Belastung in meinem Leben darstellten. Die Kasse fand das nicht ausreichend, um eine solch kostspielige Operation zu finanzieren. Brüste seien schließlich keine Krankheit, begründete man mir die Absage im Kundenzentrum. Selbst das Geld aufzubringen blieb also meine einzige Möglichkeit.

Der Arzt in der Klinik für plastische Chirurgie hier in Niederhofen diagnostizierte, ich litte unter einer sogenannten Gynäkomastie. Dabei handele es sich um eine Vergrößerung der Brustdrüsen. Das sei eigentlich eine häufige Erscheinung, bei über sechzig Prozent aller Jungen in der Pubertät trete sie auf. Es gebe verschiedene Ursachen, bei mir sei es ein aus dem Gleichgewicht geratener Hormonhaushalt. Mit einem einzigen Eingriff aber könne das Fett abgesaugt werden, und das wäre dann das Ende meiner Frauenbrüste. Eventuell müsse man die überschüssige Haut noch abschneiden und etwas straffen.

Klingt das nicht gut, Frau Schulz? Das klingt fantastisch. Aber wissen Sie, was gar nicht gut klingt? Dass die Operation sechstausend Euro kostet.

Als der Arzt mir das sagte, traf mich die Zahl wie ein

Keulenschlag. Ich hatte ja geahnt, dass es teuer ist, aber diese Summe erschien mir völlig astronomisch. Trotzdem gab ich von Anfang an Vollgas. Ein Jahr lang arbeitete ich wie ein Tier in mehreren Jobs, in verschiedenen Fabriken und als Putzkraft. Trotz meiner eigentlich niedrigen Lebenshaltungskosten schaffte ich es jedoch aufgrund mieser Bezahlung und steuerlicher Abzüge einfach nicht, überhaupt irgendetwas anzusparen. Meine einzige Hoffnung war der Deutschkurs, den ich dann endlich beginnen durfte, um anschließend mein Abitur noch einmal machen zu dürfen, damit ich endlich studieren konnte. Aber über den Deutschkurs hinaus bin ich dann ja gar nicht mehr gekommen. Und Sie wissen ganz genau, warum, Frau Schulz. Sie schickten mir den Widerruf meiner Asylberechtigung. Auf einen Schlag war jede weitere Hoffnung dahin. Und jetzt habe ich noch immer diese Brüste. Schauen Sie mal.

Liebe Frau Schulz, ich habe meine Heimat verlassen, weil ich davon träume, ein normaler Mann zu werden. Das ist alles.

Vor der Toilettenschüssel stehend, öffne ich den Reißverschluss und tippe gleichzeitig eine Nachricht an Salim.

»Geht es dir gut? Wann kommst du?«

Kurz lausche ich dem Rauschen der Spülung, kehre dann zurück ins Wohnzimmer und setze mich aufs Sofa. Der Fernsehapparat ist immer noch auf lautlos gestellt. Paul Bremer, der US-Zivilverwalter im Irak, plappert irgendetwas vor vielen Journalisten. Es folgt die weltweit bekannte Szene vom letzten Dezember: Saddam wird aus einem Loch gezogen, in dem er sich versteckt hat. Er sieht so ungewaschen und bärtig wie ein verwahrloster Penner aus. Ich nehme die Fernbedienung und schalte den Ton wieder ein. »Eine Welle von Bombenanschlägen erschüttert den Irak«, sagt die bildschöne verschleierte Moderatorin. Ich mache das Gerät aus.

Ich würde jetzt gern meine Familie anrufen, möchte jedoch keinem erzählen, dass ich mich heute wieder in die Hände eines Schleppers begeben werde. Sie machen sich sonst sicherlich Sorgen um mich. Vielleicht telefoniere ich mit meinem Vater, wenn ich in Finnland ankomme? Ja, das ist vernünftiger.

Mein Handy vibriert. Admirs Nummer erscheint auf dem Display. Admir ist mein Arbeitskollege auf der Baustelle, ein Albaner. Es war wahrlich ein Fehler, ihm zu erzählen, dass ich bald das Land verlassen werde. Obwohl ich nicht gesagt habe, wieso und wohin, lässt er mich seitdem nicht mehr in Ruhe. Ich verstehe überhaupt nicht, was er von mir will. Er ruft mich nur an, um mir immer wieder seine Geschichte zu erzählen. Ich habe sie in den letzten Wochen zigmal gehört.

»Ich bin schon zum zweiten Mal in Deutschland. Beim ersten Mal bin ich eigentlich nur wegen einer Frau hierhergekommen. Ich hatte sie zuvor in Tirana kennengelernt, als sie dort Urlaub gemacht hat. In München haben Anna und ich uns dann wieder getroffen. Ich war illegal hier und schlief bei einem Landsmann. Anna und ich trafen uns immer wieder im Englischen Garten. Das war das Schönste, was mir in diesem Scheißleben jemals passiert ist. Wir saßen oft dort auf der immer gleichen Bank, küssten uns, manchmal trieben wir es sogar miteinander im Gebüsch. Dann machte ich ihr nach zwei Wochen einen Heiratsantrag – und sie antwortete mir, dass sie einen Freund habe und nicht mehr mit mir rumhängen wolle. Es war auf der Stelle vorbei. Ich konnte es nicht glauben. Ich war wütend und sehr traurig. Am nächsten Abend ging ich wieder in den Englischen Garten, diesmal allein. Ich sah unsere Bank und hatte die verrückte Idee, sie mitzunehmen. Mir war egal, wohin damit. Ich wollte sie einfach nur als Andenken behalten. Ich besorgte mir eine Schaufel, stand gegen Mitternacht wieder vor der Bank und begann, sie auszugraben. Fast hatte ich es geschafft. Bevor ich sie jedoch anheben und wegschleppen konnte, standen schon zwei Polizisten vor mir und nahmen mich fest. Es dauerte nicht lange, bis man mich nach Albanien abgeschoben hatte. Jetzt bin ich wieder hier, wieder illegal, arbeite schwarz, spare ein bisschen Geld und habe nur noch ein Ziel in diesem Land. Anna will ich gar nicht sehen, sondern noch einmal versuchen, diese Bank zu klauen und sie mit nach Albanien zu schleppen.«

Ich drücke Admir weg und lege das Handy auf den Tisch. Ich drehe eine Zigarette und mische etwas Haschisch hinein.

LIEBE FRAU SCHULZ, zwei Tage vor meiner Verhandlung lag ich am Nachmittag noch immer im Bett, ich war den ganzen Tag über nicht aufgestanden.

»Was ist los mit dir?«, fragte Rafid. »Es wird schon wieder dunkel, und du liegst immer noch da! Geht es dir nicht gut?«

»Oh Mann, ich will nach Paris.«

Rafid ging überhaupt nicht darauf ein. »Lust auf ein Bier heute Abend?«

»Bist du verrückt? Wir können hier nicht saufen. Ali ist gläubig und will Alkohol nicht einmal sehen. Außerdem habe ich kein Geld mehr.«

»Wir sind eingeladen. In den Christenblock. Es gibt einen neuen irakischen Jesusanhänger, der gestern ankam. Er kann gut singen und pfeifen. Das wird bestimmt witzig.«

Um zwanzig Uhr tranken wir das erste Bier. Salim war ebenfalls mit dabei. Sogar Ali schloss sich uns an, auch wenn man ihm anmerkte, dass ihm sowohl der Alkohol als auch die Christen nicht geheuer waren.

»Das ist echt lecker, was ist das denn?«, fragte ich Zechariah, den Gastgeber.

»Augustiner. Aus Bayern.«

»Mann!«, rief Rafid dazwischen. »Das ist kein Bier, das ist Weihwasser mit Schaum!«

Den ganzen Abend über machte Rafid solche seltsamen Kommentare und Witze. Er redete unendlich viel, es wurde jedoch nie langweilig. Mit jedem weiteren Bier kam er noch mehr in Stimmung. Er strahlte Sympathie und eine gewitzte Klugheit aus. Das war immer so. Seine Anwesenheit genügte in der Regel schon, um für eine gute Atmosphäre bei allen anderen zu sorgen. Wenn er aber für kurze Zeit aufhörte, Scherze zu machen, erschien mit einem Mal eine tiefe Traurigkeit in seinem Gesicht, die wie weggewischt war, sobald er wieder ein Wort sprach. Ich habe ihn nie nach seiner Vergangenheit gefragt. Wir redeten alle meistens sehr oberflächlich über unsere Heimat und unsere Familien. Keiner wollte tiefer nachbohren. Als sei die Vergangenheit stets ein schmerzliches Geheimnis. Ich wusste jedoch, dass Rafid ein hartes Leben gehabt haben musste. Das merkte ich jede Nacht, wenn er anfing, im Schlaf zu schreien und zu stöhnen. Einmal begann er sogar sich selbst zu schlagen, dann eine Hand auf seinen Hals zu legen und fest zuzudrücken. Ich stürzte zu ihm und holte ihn aus dem Traum zurück.

»Was?«, stammelte er.

»Du hattest wohl einen miesen Traum.«

»Das Leben?«, lachte er sofort wieder. »Da hast du recht, mein Freund, es ist der katastrophalste Albtraum überhaupt.«

Am besagten Abend im Christenblock der Iraker war Rafid sehr betrunken und diskutierte mit Sinan, dem Neuankömmling, die Schöpfungsgeschichte. Während Rafid ein unverbesserlicher Atheist war, glaubte Sinan an die Genesis und die Dreifaltigkeit und wirkte völlig überfordert bei seinem erfolglosen Kampf gegen den beschwipsten Zweifler. Irgendwann ging Rafid auf die Toilette, und als er zurückkam und wieder im Türrahmen stand, sagte er: »Christen und Muslime stehen sich tolerant gegenüber – jedenfalls beim Pinkeln.« Wir grölten und lachten. Wenn Rafid so etwas sagte, wurde einem ganz warm ums Herz. »Und noch was!«, säuselte er mit einer Stimme, die von regelmäßigem Aufstoßen unterbrochen war, als müsse er sich bald übergeben. »Eben sah ich neben einer Toilettenpapierrolle eine Colaflasche auf dem Boden stehen. Ihr Christen benutzt dieses Papier. Und wir waschen uns den Arsch mit Wasser aus Colaflaschen. Also sind wir auch in diesem Punkt auf der Toilette vereint, da liegen Papierrolle und Colaflasche wie gute Freunde nebeneinander. Auch beim Kacken funktioniert der Kulturaustausch einwandfrei!«

Daraufhin diskutierten wir alle über die unterschiedlichen Gewohnheiten beim Toilettengang. Wir warfen unseren christlichen Gastgebern Unsauberkeit vor, weil diese ihre Hintern nach dem Stuhlgang nicht mit Wasser waschen würden.

»Eure Ärsche stinken, verdammt noch mal!«, rief Rafid. »Jetzt wisst ihr, wieso wir Muslime und Juden mit euch Christen schon so oft Probleme hatten in der Geschichte. Wir haben uns alle nicht missionieren lassen, weil wir nicht so stinken wollen wie ihr. Und bei euren ersten Kreuzzügen sind wir nur vor euren stinkenden Ärschen geflohen! Weil eure Ritter ihr Kettenhemd hochgezogen haben und mit dem braunen Arsch voran Richtung Jerusalem gestürmt sind. Wir mussten erst mal Atemschutzmasken erfinden, um euch wieder aus der islamischen Welt zu vertreiben und zu eurem Klopapier nach Europa zurückschicken zu können.«

Rafid lachte und schlug mit den Händen auf den Tisch. Darauf entgegneten die Christen, wir Muslime würden die Toiletten verschmutzen und völlig ruinieren. Wir seien es nicht gewohnt, auf einem erhöhten Plastiksitz zu hocken.

»Ihr kennt nur ein Loch im Boden. Und hier klettert ihr, wie die Barbaren, mit den Füßen auf die Kloschüssel, geht in die Hocke und scheißt so zielsicher, dass die Hälfte daneben landet«, sagte Zechariah. »Jeder von uns weiß, ob vor ihm ein Muslim auf der Toilette war, weil man die Abdrücke eurer Schuhe auf der Schüssel sieht und der ganze Boden nass ist. Oder ihr habt die Klobrillen zerbrochen, weil ihr sie nicht mal hochklappt. Aber wisst ihr was? Wir sollten der Heimleitung vielleicht vorschlagen, Bidets anzuschaffen! Wir könnten uns draufsetzen und uns hinterher mit Toilettenpapier sauber putzen – und ihr könntet euch drüberstellen und hinterher den Arsch mit Wasser waschen. Da wären doch alle glücklich!«

Gegen Mitternacht waren wir alle sturzbetrunken. Zechariah reichte mir einen Wodka und sagte: »Zum Wohl, mein lieber Karim! Sag mal, hast du dir endlich eine Geschichte einfallen lassen?«

Obwohl ich vom Alkohol deutlich angeheitert war, schaute ich ihn genervt an. Woher wusste er denn überhaupt, dass ich eine suchte?

»Ich habe noch keine.«

»Schwul wäre eine gute Idee!«, warf Rafid ein, und während alle abermals loslachten, fasste ich mir unwillkürlich an die Brust, als wäre mein Geheimnis entdeckt worden. Dabei war ich ja nicht einmal schwul. Aber ich wusste, dass ich dafür gehalten werden würde, wenn die anderen rausbekämen, dass ich eine Mannfrau bin.

»Ich meine es ernst. Hier haben die Homosexuellen allerlei Rechte. Nicht wie bei uns, wo sie mit den Sandalen geschlagen werden. Wenn du erzählst, dass du ein irakischer Schwuler bist, bekommst du sofort eine Aufenthaltserlaubnis. Die Leute hier wissen genau, wie die Homosexuellen bei uns leiden. Ein Tunesier, der vor einem Monat in ein anderes Asylantenheim gebracht wurde, hat sich darauf berufen. Dabei war er ein Riesenmacho, der jeder Frau nachgestellt hat. Er gab sich als Iraker aus und hat eine herzzerreißende Schwulengeschichte aus dem Zweistromland erfunden. Und der Richter hat ihm dieses Schmierentheater geglaubt und ihm zugesichert, er bekomme bald die Aufenthaltserlaubnis. Sogar bei uns im Stockwerk gibt es einen Nepalesen, der mit einer Schwulengeschichte arbeitet. Aber der ist ausnahmsweise ein echter Schwuler. Der bewegt sich wirklich wie eine Frau.«

Ich fühlte mich angegriffen und ertappt. »Das kannst du unmöglich ernst meinen«, sagte ich und versuchte dabei möglichst männlich zu wirken, als fühlte ich mich schon durch den Vorschlag in meinem Stolz gekränkt.

»Ich meine es ernst. Du hast sechs Möglichkeiten, um den Richter zu überzeugen. Entweder hast du etwas gegen die Regierung getan und man sucht dich, oder du bist Christ, Kommunist, Mitglied einer schiitischen Partei, ein Homosexueller oder Teil einer Minderheit. Andere Alternativen hast du als Iraker nicht.«

»Warum macht ihr mir alles so schwer?«

»Ach komm, lass uns feiern!«, munterte mich Rafid

wieder auf. Er holte einen Kochtopf, legte ihn auf seine Schenkel und begann, wild darauf herumzutrommeln. Die anderen klatschten, ich klopfte mit den Händen auf den Tisch. Sinan fing an zu singen. Er hatte eine wunderschöne Stimme.

Unser Konzert ging keine fünf Minuten, da betraten plötzlich zwei Wachmänner das Zimmer und verlangten unsere Ausweise. »Ihr dürft nicht laut sein. Das ist verboten!«

»But today is Freitag!«, sagte Zechariah.

»Hausordnung! Be quiet!«, zischte der Wachmann.

Die Männer schauten auf unsere Dokumente und verschwanden dann wieder. Für ein paar Augenblicke waren wir alle still.

»Alles klar«, sagte Rafid und trommelte ganz leise auf den Topf. Er schaute uns mit merkwürdigen Augen an. Er wurde lauter. »Hausordnung quiet!«, rief er und hämmerte mit einem Mal wie verrückt auf den Kochtopf, »Hausordnung quiet!«, stand auf und begann zu hüpfen, zu tanzen und immer wieder die Wörter »Hausordnung« und »quiet« zu schreien. Wir stiegen alle in das Gebrüll mit ein, wurden lauter, »Hausordnung quiet!«, sogar an die Tür und alle möglichen Dinge trommelten wir wie die Affen im Zoo. Wir stampften auf den Boden, schubsten uns, ich fühlte mich wie ein Teil einer Sekte, die in völliger Besinnungslosigkeit ihre Götter anruft. »Hausordnung quiet!« Tief in mir breitete sich ein Gefühl aus, das ich schon fast vergessen hatte. Ich fühlte mich frei. Ich schloss die Augen, hämmerte mit der Faust gegen die Tür, »Hausordnung quiet!«, trampelte und tanzte, »Hausordnung quiet!«, bis mit einem Mal einer dazwischenrief: »Stromausfall!«

Ich öffnete meine Augen wieder, es war tatsächlich stockdunkel. Unsere Gesänge verstummten nach und nach.

»Was ist los?«, sagte ich. »Das ist ja wie im Irak.«

»Die haben bestimmt den Strom abgestellt«, sagte jemand und wurde mitten im Satz unterbrochen, weil die Tür aufflog und ein paar Polizisten uns mit ihren Taschenlampen blendeten. Die Party war vorbei. Wir sollten alle zurück in unsere Räume, sonst würden wir verhaftet, erklärte uns einer der Uniformierten.

Wir gingen auf unser Zimmer. Ali und Salim hauten sich sofort auf die Matratzen und schnarchten weg. Rafid und ich setzten uns auf den Boden. Den Tabakbeutel legten wir vor uns auf den goldenen Busen einer nackten blonden Frau, die farbig in der *BILD*-Zeitung abgebildet war, welche wir als Unterlage verwendeten. Wir quatschten leise miteinander und rauchten ein paar Zigaretten.

»Ich kenne einen«, sagte ich, »der ein einziges Mal die Regierung verspottet hat und deswegen sofort verhaftet wurde. Er heißt Meki und war mein Schulkamerad in der elften Klasse.«

»Das klingt sehr gut, erzähl mir die Geschichte! Vielleicht können wir daraus für dich eine Story basteln, die den gesetzlichen Anforderungen entspricht!«

In der Nacht vor der Verhandlung machte ich kein Auge zu. Ich wollte meine Zimmergenossen nicht in ihrem Schlaf stören, also stand ich nervös vor unserem Haus in der Kälte herum und rauchte, um die Zeit totzuschlagen. Den wahren Grund meines Asylantrages versuchte ich zu verdrängen. Aus der Sechsfaltigkeit möglicher Asylgründe hatte ich mich schließlich für einen entschieden: Ich hätte öffentlich Saddam Hussein und seine Ehefrau beleidigt.

Ich hatte alle meine echten Daten genommen, Geburtstag, Einschulung, Wohnort et cetera, und sie in eine neue Lebensgeschichte eingebettet. Ich hatte mir sehr viele Notizen gemacht und alles Wort für Wort auswendig gelernt. Das war mir überraschend leichtgefallen. Wenn man einen Anfang findet, kommen die Ideen wie von selbst. Große Sorgen machte mir jetzt nur noch die Tatsache, dass ich diese Geschichte einem Richter erzählen musste. Ihn galt es zu überzeugen. Darin lag die größte Hürde.

Um 8:30 Uhr hatte ich meinen Termin. Eine Viertelstunde vorher war ich bereits im Verwaltungsgebäude und setzte mich vor Gerichtssaal Nummer drei, in dem meine Verhandlung stattfinden sollte. Ein paar Minuten blieben mir noch, bevor die Sintflut von Duldung und Abschiebung über mich hereinbrechen würde oder ich hoffentlich von der Arche Noah der Aufenthaltserlaubnis gerettet werden würde. Die Entscheidung über meine gesamte Zukunft lag gleich in den Händen eines einzigen Menschen, dem Richter, der dort drinnen auf mich wartete.

Ein etwa dreißigjähriger, schwarzhaariger Mann stand plötzlich vor mir und sagte auf Arabisch: »Ich heiße Omer und bin Ihr Dolmetscher. Sie dürfen jetzt den Raum betreten.«

Ich ging hinein und er folgte mir.

»Setzen Sie sich!«, befahl er etwas zu barsch.

Ich setzte mich an den braunen Tisch. Gegenüber saß bereits der Richter, ein hagerer, ergrauter Mann um die fünfzig. Der Dolmetscher nahm auf dem Stuhl links neben mir Platz. Der Richter zog seine Brille aus einem silbernen Etui, setzte sie sich auf die borkige Nase und warf einen kurzen Blick auf mich. Er grüßte mit einem flüchtigen Lächeln und einem »Grüß Gott!«. Dann schaltete er ein Diktiergerät ein, legte es auf den Tisch und fing an zu sprechen.

»Bayreuth, 21. Februar 2001. Bundesamt für die Anerkennung ausländischer Flüchtlinge. Geschäftszeichen: 2656761563. Anhörung im Rahmen des Asylverfahrens. Nachname: Mensy. Vorname: Karim. Geboren am: 12. Juni 1981. Geburtsort: Bagdad.«

Er schlug ein dickes rotes Buch auf, das mit goldenen lateinischen Buchstaben beschriftet war, blätterte es kurz durch und legte es wieder zurück auf den Tisch. Dann begann er leise mit meinem Dolmetscher zu sprechen. Worüber, konnte ich nicht verstehen, weil Omer es nicht ins Arabische übersetzte. Es schien mir, als würden die beiden Männer ein Geheimnis teilen, so verschworen wirkte ihre Unterredung. In der vergangenen Nacht hatte ich nichts anderes gemacht, als mir die Verhandlung bis ins Detail auszumalen. Allerdings sah der reale Verhandlungsort nicht im Geringsten so aus, wie ich ihn mir vorgestellt hatte. Ich hatte gedacht, es wäre eine Hundertschaft Polizisten anwesend, ein Staatsanwalt würde am Prozess teilnehmen, ebenso ein Richter, der einen tiefschwarzen Anzug tragen würde und einen Holzhammer in der Hand hielte, den er ständig donnernd auf den Tisch krachen ließe. Der Raum, den ich mir vorgestellt hatte, war riesig gewesen, mit mehreren Sitzreihen für johlende Zuschauer, die womöglich Kohlköpfe und Tomaten nach mir geschmissen hätten, denen ich ausgewichen wäre, sodass sie an der edlen, dunklen Holzvertäfelung der Wände zerplatzt wären. Mein Richter, liebe Frau Schulz, war also nur ein halber Richter, ganz so, wie Rafid es mir angekündigt hatte. Und dieser Ort hier sah auch überhaupt nicht aus wie ein Gerichtssaal. Es war ein einfaches Zimmer, mit einem plastikbeschichteten Sperrholztisch, ein paar Holzstühlen, einigen Regalen voller Ordner, einer tickenden Wanduhr und einem großen Fenster. Das konnte ich allerdings nur vermuten, denn es war vollständig von einem gelben Vorhang verdeckt. Der ganze Raum war in ein diffuses Licht getaucht.

»Wir beginnen. Sind Sie bereit?«, fragte mich der Dolmetscher.

Mein Mund war trocken und ich hatte das Gefühl, als wolle meine Zunge sich nicht bewegen und sei an meinem Gaumen festgeklebt. Ich nickte.

»Ja.«

Das Gespräch dauerte genau achtzig Minuten. Auf vierzig Fragen, die in vier Kategorien eingeteilt waren, musste ich antworten. Die vier Kategorien waren: Person, Asylgründe, Reiseweg, Sonstiges. So wollte der Entscheider zunächst von mir wissen, welche Sprachen ich beherrsche, welche Staatsangehörigkeit ich besitze, zu welchem Stamm ich gehöre und welche Dokumente und Unterlagen ich habe, um meine Identität nachzuweisen. Er verlangte dann sogar meine offizielle Anschrift in meinem Heimatland und die meiner Eltern, Großeltern und Geschwister, als wolle er ihnen eine Grußkarte von uns beiden zusenden. Er wollte ebenfalls von mir wissen, ob ich Verwandte in Europa habe, ob ich ein Visum für die Bundesrepublik Deutschland habe und ob ich tatsächlich Iraker sei. Er fragte mich, wie viele Kinos es im Zentrum von Bagdad gebe, und ich musste einige davon namentlich aufzählen. Wo befindet sich die Universität in Bagdad? Wo befindet sich der Bagdader Flughafen? Diese Frage verwirrte mich, weil ich nicht sicher war, ob es überhaupt noch internationalen Flugverkehr im Irak gab. Ich wusste nur, dass man seit den Achtzigerjahren wegen der vielen Kriege nicht einfach aus- und einreisen konnte.

Bis hierher war alles ganz leicht. Ich musste nur die Wahrheit erzählen. Richtig spannend wurde es erst danach.

»Was war der unmittelbare Anlass für Sie, Ihr Heimatland zu verlassen und in Deutschland Asyl zu beantragen?«

»Meine Geschichte ist sehr einfach«, sagte ich, erleichtert, endlich mit meiner Vorstellung loslegen zu können. »Ein paar Wochen nach unseren Abiturprüfungen trafen wir uns in unserem alten Klassenzimmer und erhielten unsere Zeugnisse. Anschließend sollten wir mit allen Lehrern, die uns unterrichtet hatten, auf dem Schulhof zusammenkommen und feiern. Unser ehemaliger Klassenlehrer hieß Hylal, er war ein harter Nationalist, der Saddam für einen Helden hielt.

Seinen Sozialkundeunterricht hatte er stets mit einem Zitat aus der letzten Rede des Präsidenten begonnen, um es anschließend inhaltlich und sprachlich zu analysieren. Aber wer wollte Saddam schon hören? Täglich von zwanzig Uhr bis Mitternacht flimmerte er über die Fernsehbildschirme, redete über alles, was ihm in den Sinn kam, sogar übers Kochen und Gärtnern. Manchmal waren Leute eingeladen, die ihn lobten oder für ihn sangen und tanzten. Währenddessen träumten wir davon, dass er endlich vom Bildschirm abhauen würde, damit wir eine Seifenoper sehen könnten.

Am Tag der Zeugnisvergabe erzählte uns der Lehrer Hylal, er finde es schade, dass man beispielsweise im Mathematikunterricht nicht die Möglichkeit habe, die Weisheiten des Präsidenten zu analysieren. Euphorisiert von diesem Tag und dem Zeugnis, das nun vor mir auf dem Tisch lag, hatte ich eine lustige Idee und sprach sie laut vor der ganzen Klasse aus.

›Wir können eine neue Formel erfinden. Der Präsident Saddam S1. Seine Frau Sajeda S2. Beides zusammen ergibt das Kind / das Volk KV3. Das heißt, der Irak ist eine NULL. Ohne S1 und S2 gibt es keine Kinder, kein Volk. Und ohne die gibt es kein Land und keinen Irak. Was halten Sie davon, Herr Lehrer?‹

Alle in der Klasse lachten. Nur der Lehrer Hylal nicht. Er schaute mich an, in ihm kochte es.

›Machst du dich lustig über unseren Präsidenten und seine Ehefrau? Wie kannst du es wagen? Darüber werde ich sofort den Direktor unterrichten.‹

Er stürmte hinaus wie bei einem Frontangriff. Alle in der Klasse verstummten plötzlich und sahen mit weit aufgerissenen Augen zu mir. Wir waren wie gelähmt. Bis ein Mitschüler endlich wieder Worte fand.

›Allah, was hast du getan? Hau bloß ab! Wenn der Direktor davon erfährt, wird sofort die Sicherheitspolizei hier sein und wir sind alle im Arsch! Verdammte Scheiße, hau ab!‹

Ich sprang auf, schnappte mir mein Zeugnis und rannte los. Erst jetzt wurde mir klar, was ich eigentlich getan hatte. Und genau in diesem Moment begann meine Flucht vor der Regierung.«

Diese Story, Frau Schulz, war nicht einmal gelogen. Es ist eine wahre Geschichte. Nur bin nicht ich derjenige, der diese Narretei begangen hat, sondern mein Schulkamerad Meki. Und es geschah auch nicht am Tag der Zeugnisvergabe, sondern ein Jahr zuvor in der elften Klasse. Meki wurde dafür festgenommen, und seitdem hat niemand mehr etwas von ihm gehört. Ich habe seine Geschichte geklaut und das Happy End hinzugefügt, dass ich abgehauen bin, was der Dummkopf Meki in Wahrheit leider nicht gemacht hat. Es war leicht, diese Story zu kapern und zu meiner eigenen zu machen, weil ich sie selbst miterlebt hatte. Oft hatte ich mir gewünscht, dass Meki damals tatsächlich fortgegangen wäre, wie der Mitschüler es ihm geraten hatte. Er aber schien wie gelähmt vor Angst und blieb einfach in der Klasse sitzen, bis der Direktor ihn abholen ließ. Das war das letzte Mal, dass wir Meki gesehen haben.

Der Entscheider schleuderte mir die nächsten großen Lebensfragen entgegen.

»Wann und auf welche Weise haben Sie ihr Heimatland verlassen? Welche Verkehrsmittel haben Sie dabei genutzt?«

Ich tischte ihm die Reiseroute über Istanbul auf, die Standardgeschichte, die jeder halbwegs vernünftige Iraker erzählt.

»In welche Länder und Städte sind Sie von der Türkei aus gereist?«

»Ich weiß nicht, über welche Länder genau ich nach

Deutschland gekommen bin. Ich versteckte mich auf der Ladefläche eines Lkws. Gemeinsam mit drei anderen Flüchtlingen. Durch die Rückwand zur Kabine konnten wir während der Fahrt nicht mit dem Fahrer sprechen. Fenster gab es keine und so konnten wir auch nicht sehen, wo wir waren. Wir lagen oder saßen dort hinten wie eine Lieferung Auberginen oder Orangen auf einem Frachtschiff. Proviant hatten wir ausreichend dabei. Auch einige Tüten zum Pinkeln, die der Fahrer uns abends immer abnahm und wegwarf. Wenn er nachts die Tür aufmachte, war es draußen so stockdunkel, dass man kaum die Hand vor Augen sehen konnte. Wir hielten immer weit abseits jeder Ansiedlung, mitten in der Wildnis, und selbst wenn wir alle zwei Tage einmal nach draußen gingen, um unsere müden Beine zu entlasten und ein großes Geschäft zu verrichten, konnte man wirklich gar nichts erkennen. Anhand irgendeines Gestrüpps in der Dunkelheit und einiger Steine am Wegesrand konnte ich nicht feststellen, in welchem Land ich mich gerade befand. Astronavigation zur Bestimmung meines Standorts beherrsche ich leider nicht. Zu diesem Lkw-Fahrer, der uns so bis nach Deutschland brachte, kann ich auch keine weiteren Angaben machen, außer, dass ich vermute, dass er ein Türke war, da die Fahrt ihren Anfang in Istanbul nahm. Für die gesamte Ausreise habe ich fünftausend Dollar bezahlt.«

»Was fürchten Sie im Fall einer Rückkehr in Ihr Heimatland?«

»Da ich das Land bereits illegal verlassen habe, würde ich noch härter bestraft werden, als wenn ich dortgeblieben wäre. Ich würde umgehend hingerichtet werden.«

»Haben Sie den Dolmetscher in dieser Anhörung immer gut verstanden?«

»Ja, sehr gut sogar«, behauptete ich, obwohl er ziemlich miserabel Arabisch gesprochen hatte. Er war ein Kurde, wie ich seinem Akzent entnehmen konnte. Vielleicht hatte ich Angst, dass er andernfalls kein gutes Wort bei dem Entscheider für mich einlegen würde.

Dieser las nun noch einen kurzen Text vor, der Dolmetscher übersetzte für mich.

»Ich bin heute vor dem Bundesamt für Anerkennung ausländischer Flüchtlinge angehört worden und hatte Gelegenheit, meine Asylgründe vorzutragen. Die Anhörung wurde auf Tonband aufgezeichnet und mir rückübersetzt. Die rückübersetzte Aufzeichnung entspricht meinen heute gemachten Angaben. Meine Angaben sind vollständig und entsprechen der Wahrheit.

Die Anhörung ist in arabischer Sprache durchgeführt worden. Es gab keine Verständigungsschwierigkeiten.

Ich wurde darauf hingewiesen, dass mir / meinem Verfahrensbevollmächtigten eine Ausfertigung der Anhörungsniederschrift nachgesendet wird.«

Mein halber Richter schaltete das Diktiergerät aus und verlangte von mir, diese Sätze zu unterschreiben.

ZWEI ODER DREI TAGE nach der Anhörung half ich Salim beim Kochen. Ich saß am Tisch in der Gemeinschaftsküche, und während ich die Zwiebeln und das Gemüse zerkleinerte, lästerte ich über den Wachmann vom Eingang, der ständig meinen Ausweis kontrollierte, obwohl er mich kannte. Ich fluchte immer wieder »Charab Allmanya!«, was so viel heißt wie »Möge Deutschland zerstört sein!«. Dabei hackte ich Knoblauch so klein, dass er zu einer klebrigen, weißgelben Masse wurde.

»Karim Charab Allmanya! Hör auf, andauernd zu schimpfen, und gib mir lieber mal das Salz!«, sagte Salim.

Alle in der Küche, die Arabisch verstanden, lachten lauthals auf. Seitdem geriet mein eigentlicher Nachname in Vergessenheit. Keiner nannte mich mehr Karim Mensy. Stattdessen riefen mich all die Iraker im Heim nur noch: Karim Charab Allmanya.

Charab Allmanya!, liebe Frau Schulz, ist eine im Irak weitverbreitete Wendung und überhaupt nicht ungewöhnlich. Wenn ein Iraker schlecht drauf ist, verteufelt er die Deutschen stellvertretend für alles Schlechte auf der Welt. Der Iraker macht das von ganzem Herzen. Alternativ sagen einige auch »Chara be Allmanya!«, was ungefähr einem »Scheiß auf Deutschland« nahekommt.

Seit meiner Kindheit hatte ich mitbekommen, wie meine Eltern, meine Geschwister, meine Schulkameraden, meine Freunde und sogar die Schauspieler in den Fernsehserien Deutschland den Untergang wünschten. Ich wusste als Kind so gut wie nichts über Deutschland, plapperte das aber natürlich nach, ohne wirklich darüber nachzudenken, was ich da eigentlich von mir gab. Warum sich dieser Spruch im Irak überhaupt durchsetzen konnte, weiß ich nicht. Warum beschimpfen wir nicht die Türken, die über vierhundert Jahre lang unser Land mit eiserner Hand beherrschten, die Engländer, die uns jahrelang belagerten und mit uns anstellten, was immer sie wollten, oder die Amerikaner, die unsere Heimat in die Steinzeit zurückbombardiert haben?

Historisch gesehen gibt es, soweit ich weiß, keine direkte politische Verbindung zwischen dem Irak und Deutschland. Es existieren nur kleinere Geschichten, die keine bedeutende Rolle spielen. Zum Beispiel die Zugverbindung Berlin-Bagdad, an der zu Beginn des vergangenen Jahrhunderts gearbeitet wurde. Oder der österreichische Maler Adolf Hitler, der als deutscher Politiker die irakischen Nationalisten gegen die Briten und ihre irakischen Verbündeten unterstützte – das Resultat dieser Zusammenarbeit war ein gescheiterter Putschversuch. Alles jedoch vollkommen unwichtig, wenn man die gesamte Geschichte Mesopotamiens betrachtet.

Ich vermute, dass die Iraker die Verdammung der Deutschen von den Engländern übernommen haben. Diese thronten Anfang des zwanzigsten Jahrhunderts als Besatzungsmacht über dem Irak. Vielleicht wollten die Briten die Iraker beeindrucken, indem sie auf Arabisch ihre deutschen Feinde aus dem ersten Weltkrieg beschimpften?

Rafid hatte eine andere Theorie. Er meinte, es gehe bei der Verdammung der Deutschen nicht um den historischen Kontext, sondern um ein Sprachspiel. Er verwies darauf, dass »Allmanya« dem Wort »Allah« klanglich ähnlich sei. Man wolle eventuell vermeiden, Gott zu beleidigen, wenn man wütend sei. Daher sage man nicht »Möge Allah zerstört sein!«, sondern »Möge All…«, dann mache man eine kurze Pause und statt »lah« sage man »manya«. Also, »Scheiß auf Deutschland«, aber nicht auf Allah.

Rafids Theorie scheint mir ziemlich glaubhaft zu sein. Ein Iraker macht nämlich, wenn er diesen Ausdruck verwendet, tatsächlich eine Pause zwischen »All« und »manya«. Es ist also vielleicht eine reine Sprachspielerei. Die armen Deutschen. Sie wissen gar nichts davon, werden aber täglich und grundlos in einem weit entfernten Land beschimpft und verdammt.

Ich habe, liebe Frau Schulz, das »Charab Allmanya!« zuvor eigentlich nicht so oft benutzt. Generell habe ich in meinem Leben nie so viel geschimpft wie in der Zeit nach der Verhandlung. Ich hatte schließlich nichts weiter zu tun, als auf das Ergebnis des Asylantrags zu warten. Obwohl ich wusste, dass die Entscheidung, die in Nürnberg getroffen werden würde, sich monate- oder sogar jahrelang hinziehen konnte, wartete ich jede Woche montags, mittwochs und freitags von acht bis vierzehn Uhr und dienstags und donnerstags von dreizehn bis achtzehn Uhr in meinem Zimmer auf den Hausmeister. Er war zugleich der Briefträger innerhalb des Heims. Einen eigenen Briefkasten oder ein Postfach besaßen wir schließlich nicht. Er brachte also unsere Briefe vorbei, wenn er im Haus auftauchte, um irgendetwas zu reparieren. Wir schauten ihn alle jedes Mal erwartungsvoll an, wenn er in seinem Blaumann den Flur entlanggeschlendert kam, in der einen Hand einen Stapel Briefe und in der anderen seinen schweren, silbernen Werkzeugkoffer.

Diesen netten Mann, der in der Regel sehr schweigsam war, nannten die Unsrigen: Azrael, Malik al-Maut – Engel des Todes. Ich weiß nicht, wer ihm diesen Spitznamen gegeben hat, aber der Mann hatte ihn wirklich nicht verdient.

Als ich den Namen zum ersten Mal hörte, erinnerte ich mich daran, wie meine Mutter mir als Kind mal von meinem Bruder erzählt hatte, der bei der Geburt ums Leben gekommen war. »Er musste sofort in den Himmel zurückkehren«, hatte sie erklärt. »Damit er zu einem Kinderengel werden konnte. Er wird uns im Himmelreich und vor dem Gericht Gottes beschützen und verteidigen. Das wird aus den Babys, wenn sie sterben: Schutzengel ihrer Eltern im Jenseits. Und in der Djanna – im Paradies sind sie die Vögel, die uns morgens mit ihrem herrlichen Gesang aufwecken.«

Azrael hingegen ist kein Kinderengel. In der Mythologie ist er der Engel des Todes. Derjenige, der Buch über die Neugeborenen führt und die Namen der Gestorbenen von der Liste der Lebenden streicht. Er soll zwei Gesichter haben, eine hässliche Fratze und ein wunderschönes Antlitz zugleich. Denjenigen, die ins Paradies einziehen, zeigt er angeblich sein schönes Gesicht, den anderen den Kopf eines Ghuls. Zu mir, zu allen Menschen, ja, auch zu Ihnen, Frau Schulz, komme er irgendwann, so behauptet man.

Bevor ich in einem Asylantenheim lebte, dachte ich, wenn er denn überhaupt einmal auftauchen würde, dann käme er sicher erst zu mir, wenn ich sterbe. In Bayreuth traf ich ihn jedoch fünf Mal wöchentlich. In Gestalt eines deutschen Hausmeisters, der Herr Hubert hieß, durchs Haus ging und Briefe verteilte. Das Gesicht von Herrn Hubert sah zu allen Zeiten gleich aus, eine Mischung aus genervt, gehetzt und müde. Die Gesichter der Asylanten aber konnten sehr unterschiedlich aussehen. Je nachdem, welche Art von Brief Herr Hubert überbrachte, konnten sie entweder vor Freude strahlen oder sie waren ganz verzerrt vor Schmerz. Jeden Tag wartete ich auf den grünen Briefumschlag aus Nürnberg, der auch über mein Gesicht bestimmen würde. Aufgrund meiner Geschichte war ich eigentlich guter Dinge, doch jedes Mal, wenn ich Azrael, Malik al-Maut, auf dem Gang sah, überkam mich eine große Angst.

Ich träumte damals oft von all den schönen Dingen, die ich tun würde, wenn ich die Aufenthaltserlaubnis bekäme. Ich begann diese Gedanken weiter- und weiterzuspinnen. Ich stellte mir ein neues Leben als freier Mensch vor. Ich würde einen Chirurgen finden, der mir eine flache Brust schenkte, würde endlich enge Kleidung tragen können und erhobenen Hauptes durch die Straßen gehen. Ich bekäme einen Platz an der Universität, eine hübsche Kommilitonin als Freundin, mit der ich mich nach kurzer Zeit schon ausschließlich auf Deutsch verständigen könnte. Bald hätte ich auch einen Job mit einem guten Gehalt bei einer internationalen Firma, die in einem Wolkenkratzer aus Glas und Stahl säße, und von meinem geräumigen Büro aus könnte ich alle Dächer der Stadt sehen. Ich würde meine Eltern aus dem Irak herholen, mir ein Haus am Meer kaufen, und im Sommer würden wir alle zusammen, mein Vater, meine Mutter und meine große Liebe von der Universität, dort Urlaub machen. Unsere Gesichter sähen so glücklich und friedlich aus wie die von Kuscheltieren.

Aber Azrael brachte mir lange keine Nachricht, unendlich lange. Als er dann doch irgendwann bei mir auftauchte, drückte er mir kommentarlos einen grünen Umschlag in die Hand. Darin war jedoch nur der rückübersetzte Text der Anhörung für meine Unterlagen. Meine Tage vergingen langsam, als würde eine kosmische Macht die Zeit wie einen Pizzateig kneten und so dünn wie möglich ausrollen.

Wir waren, liebe Frau Schulz, ein Haufen nervöser Vögel, die entweder auf ihre Anhörung vor Gericht oder das Ergebnis ihres Asylantrags warteten und nicht wussten, was mit ihnen geschehen würde. Wir verharrten in einer Art Schockstarre und fühlten uns wie die Statuen am Markgrafenbrunnen im Zentrum, die langsam Moos ansetzten. Langeweile, unterbrochen von grundlosen Streitereien und allerlei seltsamen Konflikten, bestimmte unseren Alltag.

Ein Pakistani namens Salman zum Beispiel wollte eines Tages unbedingt in eine neue Unterkunft gebracht werden. Er rief die Polizei an und behauptete, seine Mitbewohner seien Spione und nicht die Inder, als die sie sich ausgäben, sie seien vom pakistanischen Geheimdienst, dem ISI. Die Caritas mischte sich tatsächlich in diesen diplomatischen Zwischenfall ein, und er bekam immerhin einen neuen Schlafplatz im Zimmer der Afghanen im selben Flur. Also zog er innerhalb der Orient-Express-Haltestelle um, vom einen zum anderen Zimmer. Es dauerte aber nicht einmal einen Tag, bis das nächste Problem auftrat. Die neuen Zimmergenossen hätten ihn an sein Bett gefesselt und sogar geschlagen.

Salman beschäftigte die Bewohner des Heims auch oft damit, dass er in der Gemeinschaftsküche herumsaß und bitterlich weinte, als habe er gerade erfahren, dass seine gesamte Familie gestorben und er zusätzlich noch todkrank sei. Es war dann nahezu unmöglich herauszufinden, was genau eigentlich los war und ob man ihm vielleicht helfen konnte. Wahrscheinlich wusste nicht einmal er selbst es genau. Eines Tages war er einfach aus dem Asylantenheim verschwunden. Wie vom Erdboden verschluckt. Er ist also entweder getürmt oder er wurde aufgrund seiner dauernden Querelen verlegt.

Ein anderer Flüchtling namens Idris, der in der Kurden-Etage wohnte, wurde unterdessen zu einem großen Problem für die Araber. Diesen Jungen kannte ich bereits, Frau Schulz. Er war einer der drei Jungs gewesen, die der Schlepper in Dachau mit mir abgesetzt hatte. Er ist auch in Bayreuth gelandet, wie ich. Der arme Kerl verlor fast seinen Verstand, als sein Asylantrag überraschend schnell abgelehnt wurde. Mit dem zerknüllten Brief in den Händen begann er urplötzlich zu schreien, zu heulen und wie ein Derwisch auf sein Gesicht, die Tür und die Möbel in seinem Zimmer einzuschlagen. Als er sich wieder beruhigt hatte – beziehungsweise sich vor Entkräftung und Schmerzen in den aufgeplatzten Händen nicht weiter aufregen konnte –, wollte er weder Arabisch mit uns Arabern reden noch einen Araber auch nur angucken. Stattdessen wollte er jedes Mal, wenn er einen Araber auf der Kurden-Etage erwischte, sofort losprügeln. Natürlich fanden wir das sehr rassistisch und es gab tagelang Gespräche mit seinen kurdischen Landsleuten darüber. Zumal wir Araber ja überhaupt nichts dafür konnten, dass sein Antrag abgelehnt wurde.

Am Ende beschlossen die Kurden, dass ein Fremder ohne Anmeldung ihre Etage nicht mehr betreten durfte. Vor jedem Besuch sollte man Bescheid sagen, damit einer der Kurden Idris bändigen oder ablenken konnte. Fast drei Wochen lang galt dieses Stockwerk also als Verbotszone, bis der Wüterich Idris schließlich verlegt und vermutlich abgeschoben wurde.

Manchmal gab es während unserer langen Wartezeit auch Probleme, die zwar uns Asylanten zum Lachen brachten, nicht aber die Einheimischen und ihre Kriminalbeamten. So gingen zum Beispiel einmal zwei Afrikaner und ein Syrer in ein Restaurant und bestellten eine Riesenportion Fleisch. Nachdem sie aufgegessen hatten, prellten sie die Zeche und hauten ab. Natürlich wusste man, wo sie zu finden waren. Die Polizisten durchsuchten mit der Kellnerin das Heim nach ihnen. Aber für das Mädchen sahen wir alle gleich aus, zumindest die schwarzen Afrikaner. Sie lieferte den Beamten ganze neun Verdächtige, unter denen aber von den tatsächlichen Tätern nur der Syrer war. Also entschieden sich die zwei Afrikaner ihrerseits, sich zu stellen, und letztlich kamen die drei mit einer Belehrung davon und mussten sich entschuldigen.

Einige von uns wurden manchmal beim Stehlen im Supermarkt oder im Rotmain-Center erwischt. Die Bayreuther, die irgendwie überfordert wirkten von uns Flüchtlingen, kannten dieses Spiel schon seit Jahren. Viele ließen daher einfach keine Flüchtlinge mehr in ihre Läden oder sie beobachteten uns so lange und so penetrant, bis wir eben wieder rausgingen. Ich fühlte mich umzingelt von Menschen, die nur erpicht darauf waren, mich aufgrund irgendeines Fehltritts anzeigen zu können. Ich fühlte mich wie ein Straftäter, der in einer kleinen Gemeinde resozialisiert werden soll und von dem alle Bürger wissen, was er verbrochen hat.

Im Heim selbst erlebten wir fast stündlich Konflikte. Immer wieder behauptete irgendeiner, dass jemand etwas aus seinem Esspaket gestohlen habe, das wir vom Staat bekamen. Oftmals endete so ein Streit mit einer Schlägerei und einem Polizeieinsatz. In der Orient-Express-Haltestelle hingegen waren oft die Frauen der Anlass für die Streitereien, obwohl die Frauen selbst ja überhaupt nicht anwesend und in der Regel Tausende von Kilometern entfernt waren. Aber einer hatte die Schwester oder die Mutter eines anderen verbal gefickt, und schon folgten Schläge oder Messerstiche.

Es war immer viel los bei uns. Trotzdem war es unsäglich langweilig. Wir konnten nichts anderes tun, als zu warten, und wurden von Tag zu Tag dämlicher.

Auch die immer gleichen Gesichter im Asylantenheim machten uns zu schaffen. Wir alle sehnten uns nach Abwechslung. Wenn das Heim voll war, kamen eine ganze Weile lang keine neuen Flüchtlinge. Vor allem hätte ich mir Kontakt zu Bayreuthern gewünscht, aber die einzigen regelmäßigen Begegnungen mit Deutschen, die über abschätzige Blicke hinausgingen, waren die mit den Polizeibeamten oder mit dem Wachpersonal im Heim, also mit Menschen, die beruflich dazu gezwungen waren, uns nicht zu ignorieren. Andere, normale Bürger waren wie Fabelwesen aus einem fernen Märchenland für uns, die wir bei unseren Streifzügen durch die Stadt beobachten konnten oder durch den Zaun hindurch sahen, der das Asylantenheim umgab. Hellhäutige Menschen aller Art, vermummt in dicke, warme und schöne Kleidung, die sehr gepflegt aussahen. Saubere Kinder, hübsche Mütter, stolze Väter. Wenn ich versuchte, ihre Gespräche nachzuvollziehen, um etwas Deutsch zu lernen, hörte ich nur »sch … schi … ch … cho …«. Die Wörter klangen wie Störgeräusche eines Radios, wenn der Sender nicht richtig eingestellt ist. In einer Stadt mitten in Oberfranken Deutsch zu lernen, indem man irgendwelchen Passanten zuhört und hier und da ein paar Vokabeln aufschnappt, ist wahrlich nicht einfach.

Die einzigen Deutschen ohne Schlagstöcke und Schusswaffen, die sich freiwillig länger in unserer Nähe aufhielten, waren die Mitarbeiter der Caritas. Eine von ihnen war Karin Schmitt, die mir bei meiner Ankunft geholfen hatte, ein paar warme Klamotten zusammenzustellen. Sie arbeitete ehrenamtlich für das Hilfswerk und mischte sich täglich unter uns. Man nannte sie »die Frau mit der Kiste«. Für uns war sie wie ein Weihnachtsmann ohne Bart und rote Zipfelmütze, denn sie brachte jeden Morgen einen Karton voll Secondhandklamotten, Zeitschriften, gebrauchtem Geschirr, Besteck und anderen Dingen, die uns den Alltag erleichterten.

Allerdings versorgte Karin zuerst die Familien, bevor sie mit einem kläglichen Rest bei uns Unverheirateten aufschlug. Danach stand die leere Kiste den ganzen Tag lang vor dem Büro der Caritas und man konnte vorbeigehen und nachschauen, ob mittlerweile wieder etwas Brauchbares in ihr gelandet war. Manchmal kamen nämlich engagierte Bayreuther Damen zum Asylantenheim und spendeten allerlei ausrangierte Sachen an die Caritas, sodass wir von dem profitieren konnten, was sonst weggeworfen worden oder im Keller oder auf dem Dachboden verstaubt wäre.

Karin Schmitt war in unserem Leben aber mehr als nur »die Frau mit der Kiste«.

Sie hatte ein leichenblasses Gesicht und schminkte sich nur für Feierlichkeiten mit einem dezenten Puder. Ihre spröden, ständig trockenen Lippen bestrich sie entweder mit einem Labello oder zu besonderen Anlässen auch mal mit einem weinroten Lippenstift. Ihr Antlitz erinnerte mich an die Werbung für ein französisches Kochbuch, die ich einmal in einer deutschen Frauenzeitschrift gesehen hatte. Darauf war ein angeschnittenes, noch leicht rohes Kalbfleischsteak mit Röstzwiebeln und einigen Tröpfchen einer gelbweißen Soße zu sehen gewesen. Dies präsentierte eine Köchin mit einer weißen Schürze, die Frau Schmitt sehr ähnlich sah. Sie hatte halblange, lockige Haare und große, braune Augen. Vom Äußerlichen abgesehen, konnte ich mir von Karin jedoch kein rechtes Bild machen. Ich wurde nicht schlau aus ihr und fragte mich, was genau diese Frau von ihrem Leben wollte. Alles, was ich von ihr wusste, war, dass sie »uns« liebte. Sie opferte sich für uns, Fremde, auf, als seien wir mit ihr verwandt. Für jedes Problem mit unseren Asylanträgen oder mit sonstigen alltäglichen Dingen hatte sie ein offenes Ohr. Obwohl die meisten unserer Probleme unlösbar waren, schaffte sie es, uns zu beruhigen und uns Hoffnung zu geben, wenn uns selbst alles aussichtslos erschien. Sie erweckte den Eindruck, als gehe sie vollends darin auf, uns zu helfen und beizustehen, wenn die Behörden uns überraschten oder wie Kraftfahrzeuge über unsere Träume und Seelen rollten. Karin Schmitt opferte viel Lebenszeit für diese ehrenamtliche Tätigkeit. Sie hätte genauso gut bei uns einziehen können.

Vielleicht war sie insgeheim ohne uns Flüchtlinge und Asylbewerber einsam und allein, hatte keine Familie oder zumindest keine enge Bindung zu ihr. Eventuell war ihr Leben sterbenslangweilig und unsere Probleme brachten Abwechslung in ihren Alltag. Vermutlich gaben wir ihr das Gefühl, wichtig zu sein und gebraucht zu werden. Einmal sagte sie etwas, das kurzzeitig zu großen Spekulationen unter uns Männern führte.

»Gemeinsam mit Nora seid ihr meine richtige Familie.«

Diese ominöse Nora war scheinbar die Einzige, die neben den Bewohnern des Asylantenheims in ihrem Leben eine Bedeutung hatte. Wir dachten an eine Frau, aber irgendwann wussten wir alle, wer Nora tatsächlich war. Ein Pferd. Karins einzige Freizeitbeschäftigung schien dieses Tier zu sein, zu dem sie aufs Land rausfuhr, wenn sie Zeit hatte. Über ihre sonstige Familie oder Freunde sprach sie nie ein Wort.

Eines Tages jedoch kam es zu einer großen Veränderung. Das geschah während einer Feier im Asylantenheim, die Karin für zwei irakische Jungs organisiert hatte. Sie hatten kurz zuvor die Erlaubnis erhalten, ihren Onkel, der bereits in Nürnberg lebte, besuchen und bei ihm wohnen zu dürfen, bis das Resultat des Asylantrags vorlag. Vorher hatten sie Bayreuth wegen der Residenzpflicht nie verlassen dürfen. Der Onkel hatte ihnen anscheinend einen guten Anwalt besorgt, der das durchgeboxt hatte.

Einer der beiden Jungs hieß Haider, und was er uns auf dem Fest erzählte, klang absurd.

»Wir haben zehn Länder zu Fuß durchquert, haben alles Mögliche erlebt, Gefahr wurde Normalität in unserem Leben, dann kamen wir hier an und plötzlich durften wir nicht einmal unseren Onkel in Nürnberg besuchen, das nur ein paar Kilometer entfernt liegt. Nur eine Stunde mit dem Zug von hier. Es ist verrückt. Ich verstehe das nicht, aber so ist eben das Gesetz. Jetzt dürfen wir Bayreuth endlich verlassen, das Heim und euch, ihr alten Stinknasen! Aber wisst ihr, wie man Nürnberg nennt?«

»Wie denn?«, rief jemand.

»Kurdenberg. Weil dort viele Kurden leben. Ab morgen sind wir Kurdenberger und nicht länger irakische Bayreuther.«

Wir lachten viel mit den beiden glücklichen Jungs an diesem Abend. Ich war allerdings auch eifersüchtig darauf, dass sie fortan in einer großen Stadt leben und sogar reisen durften. Das wollte ich auch.

Der Onkel hatte etwas Geld geschickt, sodass wir Kuchen, Softgetränke, Bier und Wein hatten besorgen können. Die beiden Jungs feierten, lachten und tanzten. Alle waren gut drauf, auch Karin Schmitt. Irgendwann nahm das Fest jedoch ein dramatisches Ende. Es war Ali, der das verursachte. Ausgerechnet Ali, der strenggläubig war und sonst nur mit Allah sprach. Plötzlich sprang er von seinem Stuhl auf und verlangte von Rafid, alles wortgetreu zu übersetzen, was er Karin zu sagen hatte. Wir alle verstummten irritiert und hörten zu. Ali wartete noch kurz, räusperte sich und begann dann auf Arabisch seine Ansprache zu halten.

»Karin, du bist ein toller Mensch. Keiner hat sich hier um uns wirklich gekümmert. Nur du. Du bist für uns wie unsere Mutter und Schwester zugleich. Danke auch, dass du das Fest für die Jungs organisiert hast. Ich finde es unfair, dass du allein mit einem Pferd, mit Nora lebst. Ich will dich gern heiraten. Wir können eine kleine Familie gründen. Und Kinder machen, die mit Nora spielen.«

Rafid übersetzte das letzte Wort, und dann brachen wir alle in schallendes Gelächter aus und grölten vor Freude. Karin aber blieb wie angewurzelt stehen und schien von der Situation völlig überfordert zu sein. Auch Ali war tief getroffen von unserer Reaktion.

»Wieso lacht ihr Idioten, habt ihr kein Herz? Ich meine das ernst.«

Die Situation eskalierte irgendwie. Wir jubelten, Ali stampfte orientierungslos umher und Karin rannte mit einem Mal weinend zu ihrem Auto und fuhr davon. Das Fest war damit zu Ende. Keiner hatte mehr Lust, an diesem Abend zu feiern. Aber Ali und Karin wurden daraufhin zu einer Legende des Heims, zu seiner großen romantischen Liebesgeschichte.

Ali war ein einfacher Bursche und wie gesagt sehr gläubig. Wir nannten ihn meistens nur »Container-Ali«, weil er ständig in den Abfallcontainern der Stadt auf der Suche nach irgendetwas Brauchbarem war. Er war halb Iraker, halb Perser oder keins von beidem, so genau wusste er das selbst nicht. Während des Iran-Irak-Krieges, als er noch ein Kind war, wurde seine Familie in den Iran abgeschoben, weil die irakische Regierung sie als Perser und somit als rassisch unreine Iraker betrachtete und entsprechend behandelte, obwohl Alis Leute seit dem achtzehnten Jahrhundert im Irak ansässig waren. Im Iran aber galten sie wiederum als Iraker und somit als persisch unrein. Er wohnte fast seine ganze Kindheit über mit seiner Familie in einer Art Auffanglager, das von der Außenwelt völlig abgeschottet war, besuchte keine Schule und hatte daher weder vom Irak wirklich Ahnung noch vom Iran noch von sonst irgendetwas. Eigentlich hatte er nur Ahnung von Allah und von Müllcontainern.

Er hatte auf seiner Route alle Arten von Containern durchwühlt, vom Iran über die Türkei, Griechenland und Italien bis nach Deutschland. Er war ein absoluter Experte in diesem Bereich. Sein Vater war ein großer Unternehmer im Irak gewesen – und auch er hatte schon mit Mülltonnen zu tun gehabt. Vor dem Krieg hatte er einen Vertrag mit dem Innenministerium darüber abgeschlossen, alle Abfallbehälter in den Gefängnissen von Bagdad zu entleeren und somit deren Müllentsorgung zu organisieren. Er galt als wichtiger Mann und hielt sich für einen Regierungstreuen. Aber die Realität hatte dann ein anderes Schicksal für ihn bereitgehalten.

Auch Jahre später im Iran, im Lager, stand der Vater täglich vor dem Büro, in dem Brot und andere Lebensmittel ausgegeben wurden, und betrachtete die Container, in denen nur Restmüll lag, aber keine brauchbaren Dinge. Ein paarmal schlug er der Lagerverwaltung eine Geschäftsidee vor, die mit dem Müll zu tun hatte, aber keiner interessierte sich für ihn. Auch als er versuchte, seine Dienste der irakischen Opposition, die mit den Iranern zusammenarbeitete, anzubieten, erhielt er aufgrund seiner Vergangenheit als Regierungstreuer keine positive Reaktion. Er fühlte sich einsam und verlassen. Täglich drehte er mit seinem Sohn eine Runde zu den Containern und suchte darin nach etwas Brauchbarem. Dann starb der Vater vor Traurigkeit und Entwurzelung.

Ali hörte danach nie auf, weiter in den Containern zu wühlen. Auf seiner Flucht durch die vielen Länder bis nach Deutschland lernte er die landestypischen Arten der Abfallentsorgung kennen. Nun war ihm alles in Bayreuth vertraut, was mit Müll zu tun hatte. In Deutschland ist das ja eine Wissenschaft für sich mit all den Farben und Symbolen für die jeweiligen Müllarten. Aber Ali kannte sich vermutlich besser aus als die meisten Einheimischen. Wenn man ihn vermisste, war es leicht, ihn zu finden. Man ging einfach die Sammelstellen in der Stadt ab, wo sich die großen Müllcontainer befanden. Ali brachte von seinen Streifzügen tatsächlich immer etwas Brauchbares mit. Wir, Rafid, Salim und ich, ließen ihn meistens in Frieden, und er war dankbar, dass wir uns nicht über ihn lustig machten.

Ali, der in seinem Leben schon lange keinen Menschen mehr gehabt hatte, der sich um ihn kümmerte, hatte sich wohl nicht nur Allah anvertraut, sondern sich auch in die herzensgute Karin verliebt. Auf dem besagten Fest wurde allen klar, dass er sie ernsthaft als Ehefrau wollte. Schon vorher hatte er oft von ihr gesprochen und davon geschwärmt, wie toll er sie fand. Ich hätte aber nie gedacht, dass er den Mut finden und es ihr ins Gesicht sagen würde. Später habe ich erfahren, dass jemand auf dem Fest ihm zuvor einigen Wein zu trinken gegeben hatte. Sie tricksten ihn aus und behaupteten, es sei Traubensaft. Ali, der aus Furcht vor Allah noch nie zuvor Alkohol getrunken hatte, kippte ein ganzes Glas auf ex herunter, weil er froh war, mal etwas anderes als Wasser zu trinken. Er fand den Traubensaft großartig.

Der Rest ist Geschichte. Karin, die fast zwanzig Jahre älter war als er, lehnte seinen Heiratsantrag ab. Aber das war noch nicht das Ende. Ali besorgte ihr von nun an wöchentlich Rosen. An jedem Freitag, in der Mittagspause, kam er mit einer roten Rose zu ihr und legte sie vor der Tür ihres Büros auf den Boden. Am Nachmittag wartete er, bis sie ihr Büro verließ, und ging dann hinter ihr her bis zum Parkplatz. Wenn sie mit dem Auto losfuhr, winkte er ihr nach.

Karin hatte wohl Angst und wollte nie wieder etwas mit Ali zu tun haben. Eines Tages erfuhren wir, dass sie nicht mehr bei uns arbeitete. Sie verschwand einfach so aus unserem Leben wie die Sonne in einem deutschen Winter.

An jenem Tag, liebe Frau Schulz, legte Ali keine Rose vor die Tür der Caritas. Stattdessen schleppte er alle Müllcontainer des Heims vor das Büro und entleerte sie dort. Er machte das so lange, bis er inmitten all des Unrats von den Sicherheitsbeamten festgenommen wurde. Er musste eine Nacht in Polizeigewahrsam verbringen.

LIEBE FRAU SCHULZ, es war an einem regnerischen Tag im April, als ich erfuhr, dass die Zeit gekommen war, mich von Bayreuth zu verabschieden. Ich saß gelangweilt in unserem Zimmer und blätterte in einer Zeitschrift, die ich von der Caritas mitgebracht hatte, der *Freundin*. Sie ist voller Fotos von halbnackten, dürren und faltenlosen Frauen, und auch die Männer, die hin und wieder darin auftauchen, sehen absolut makellos aus, wie die Götter des griechischen Olymps. Plötzlich klopfte jemand an die Tür. Es war Azrael, der Hausmeisterengel. Er drückte mir einen Brief in die Hand.

Es war ein grüner Umschlag. Ich dachte, es handele sich um das Ergebnis meines Asylantrags. Es war aber nur ein kurzer Text mit Stempel und Unterschrift. Ich verstand kein Wort. Ich eilte aus dem Zimmer, um Rafid zu suchen, der ihn mir übersetzen sollte. Er stand mit Salim, Ali und ein paar anderen Irakern vor der Küche herum.

»Oh je, ein grüner Brief. Die Farbe des Propheten Mohammed und der mächtigsten deutschen Behörden. Zeig mal her!«

Viele von uns hatten heute anscheinend die gleiche Nachricht erhalten. Auf dem Papier stand, dass wir unsere Sachen packen sollten, weil wir am nächsten Tag um neun Uhr verlegt werden würden. Wohin, das wurde mit keinem Wort erwähnt. Ebenso wenig gab es eine Begründung für die Verlegung. Ich wollte sofort zur Caritas gehen, um dort nachzufragen, wie mein zukünftiger Wohnort heißen würde. Rafid jedoch meinte, er habe bereits versucht, das in Erfahrung zu bringen, aber es sei keiner der Angestellten mehr anwesend.

»Das ist vielleicht unser letzter gemeinsamer Abend in Bayreuth«, sagte Salim. »Lasst uns etwas zusammen kochen! Unser letztes Bayreuther Abendmahl! Wer weiß, eventuell werden wir morgen in unterschiedlichen Heimen untergebracht. Lasst uns eine Abschiedsparty feiern! Mit Reis und Tomatensoße!«

Salim war ein leidenschaftlicher Koch. Jede Woche, wenn wir die Esspakete bekamen, versuchte er, davon etwas mit den Jugoslawen und Kasachen zu tauschen. Denn vieles aus den Paketen aßen wir nicht: Salami, Nudeln, fertige Gerichte und Suppen aus der Dose, farbige gekochte Eier sowie diese seltsamen gelben Dinge, die Fischstäbchen. Salim besorgte uns stattdessen Bohnen, Reis und Gemüse. Aber nie schaffte er es, rotes oder weißes Fleisch zu organisieren. So etwas galt als äußerst luxuriös, und wir hatten es seit unserer Flucht fast gar nicht mehr gegessen. Ein einziges Mal in den letzten Wochen war es in einem Esspaket gewesen. Das Rinderhackfleisch war damals zwar schon nicht mehr rot, sondern hatte eine bräunliche Farbe angenommen, aber Salim zauberte aus dem bisschen Hack drei wunderbare Gerichte: Fleischbällchen, Fleischsoße und eine weitere Hackfleisch-Kreation, die so ungewöhnlich war, dass ich sie rückblickend kaum beschreiben kann. Danach sahen wir das gelobte Fleisch nie wieder und blieben unfreiwillige Vegetarier.

Salim konnte aus dem Nichts ein tolles Gericht zusammenbasteln. Seine Kochkünste hatten eine Geschichte, die er gern lang und breit erzählte und die sich jeder Neuling in unserer Etage anhören musste. Das war das Einzige aus seinem Leben, über das er bereit war, ausführlich zu sprechen. Ansonsten war er ein schweigsamer und ruhiger Typ. Deswegen nannten wir ihn: Salim die Ruhe.

Mit fünfundzwanzig Jahren hatte er den Irak verlassen, weil er nach seinem Wirtschaftsstudium keinen Job fand. Das Land litt unter dem Handelsembargo und Salim noch zusätzlich unter seinem Vater, den er nicht länger ertragen konnte. Zweitausend Dollar verlangte die Regierung für einen Reisepass. Er entschied sich also für die finanziell einfachere Variante und wollte mithilfe der Kurden im Norden das Land Richtung Syrien verlassen. Der Spaß kostete ihn fünfhundert Dollar, die er gerade so zusammenkratzen konnte. Als er in Damaskus ankam, konnte er nicht einmal Tee kochen oder ein Spiegelei zubereiten. Nicht, weil er kein Geld mehr hatte, er hatte auch nicht die Fähigkeiten dazu. In Bagdad gab es zu viele Frauen in seiner Familie. Salim hatte seine vier Schwestern um sich gehabt, außerdem seine Mutter, seine Oma sowie die Ehefrauen seiner Brüder, sodass er nie im Leben einen Teller abgewaschen, ein Hemd gebügelt, einen Schuh geputzt oder selbst Tee gekocht hatte. Er wusste bis zu diesem Zeitpunkt nicht einmal, was das Wort »Pfeffer« bedeutete oder was Joghurt in einer Joghurt-Suppe zu suchen hatte, obwohl er beides liebte und es täglich aß.

Salim fand eine Arbeitsstelle in einer Fabrik, in der Kinderspielzeug produziert wurde. Er kümmerte sich um die Finanzen, bekam im Vergleich zu den Einheimischen jedoch einen sehr niedrigen Lohn, ein sogenanntes »ausländisches Gehalt«. Er überstand diese schwere Zeit mit billigem Essen von den Imbissständen, wie Falafel, Humus und Foul oder Makkali, während er zu Hause fast nur Bohnen, Fisch und andere Produkte aus der Dose aß, da er sich nicht anders zu helfen wusste.

Nach Monaten erfuhr er von zwei Ländern, die den Irakern Visa gaben und sogar Jobs zusicherten. Schon damals, in den frühen Neunzigerjahren, Frau Schulz, galten die Mesopotamier als unerwünschte Gäste in fast allen Staaten der Welt. Nur in Libyen und im Jemen waren sie willkommen. Salim bewarb sich bei einer Arbeitsagentur, die ausschließlich Iraker vermittelte, und bekam tatsächlich einen Job als Finanzverwalter einer Ölfirma in der Nähe von Sanaa. Dort angekommen, blieb er anfangs noch dem Fastfood treu. Später lernte er jedoch einige Landsmänner kennen. In dieser Gegend waren insgesamt sechs irakische Familien ansässig, sodass jeder jeden kannte und eine enge Gemeinschaft entstand. Als einziger unverheirateter Mann bekam Salim oft Einladungen zum Essen. Für ihn war es das Beste, was ihm passieren konnte. Er spielte als kinderlieber Mensch mit den knuffigen Babies und wurde mit irakischen Leckereien verköstigt wie zu Hause in Bagdad.

Einmal scherzte einer seiner Gastgeber, Salim müsse langsam damit aufhören, seiner Familie die Haare vom Kopf zu fressen, und endlich lernen zu kochen. Alle Anwesenden lachten, und auch Salim fand die Vorstellung lustig. Aber eine der anwesenden Damen verstand das nicht als Witz und machte einen Vorschlag.

»Wir Frauen treffen uns einmal wöchentlich und kochen gemeinsam. Also kann Salim doch bei uns die irakische Kochkunst erlernen, wenn er möchte.«

Erstaunlicherweise stimmte Salim sofort zu, obwohl er überhaupt nicht wusste, worauf er sich da einließ. Das Angebot erschien ihm als große Ehre und Vertrauensbeweis, weil Männer normalerweise keinen Zutritt zur Küche haben.

So erlernte Salim die Kunst des Kochens. Vom ersten Moment an fing er Feuer für das Spiel mit Gewürzen, Gemüse, Mehl und Fleisch. Es wurde zu einer so großen Leidenschaft, dass er sogar bald schon begann, eigene Rezepte zu kreieren, die er nach sich selbst benannte und durchnummerierte.

Salim eins bis zwölf waren im Asylantenheim berühmt, obwohl er manche der Gerichte mangels irakischer Zutaten nur notdürftig nachkochen konnte. Persönlich mochte ich Nummer sieben am liebsten. Kartoffelecken mit Zwiebeln, Zitronensaft, schwarzem Pfeffer und Olivenöl, und das alles mit Feta-Käse im Ofen überbacken.

Als sein Arbeitsvertrag in der Ölfirma bei Sanaa nach einem Jahr nicht verlängert wurde, verließ er den Jemen und suchte eine neue Heimat. Nach einer Odyssee durch mehrere Länder erreichte er Deutschland und wurde unser Küchenchef in Bayreuth. Das war zwar kein Beruf, aber es war auch nicht das Ende von Salims Reise durch die Küchen dieser Welt. Er behauptete immer, er fühle sich wie ein Sultan, wenn er am Herd stehe. Kochen sei kein Beruf und auch kein Hobby, sondern eine Lebenseinstellung.

Unser letztes Bayreuther Abendmahl wurde trotzdem mehr ein Trauerschmaus als eine Abschiedsparty.

Wir sprachen kaum miteinander und aßen schweigend. Alle hingen wir unseren Ängsten und Hoffnungen nach. Unsere größte Angst war es, irgendwohin ins Nirgendwo verschleppt zu werden. Auf einen Berg zum Beispiel, wie ich ihn auf meiner Reise von München nach Zirndorf gesehen hatte. Dagegen hofften wir, in eine richtige Stadt zu kommen. Eine große Stadt, in der wir uns frei bewegen konnten.

Als unser Bus am nächsten Vormittag Bayreuth verließ, wussten wir noch immer nicht, wohin man uns bringen würde. Wir waren zweiundzwanzig Männer und drei Frauen. Außerdem der Fahrer und eine Begleitperson. Als wir sie nach unserem Ziel fragten, antworteten sie, dass sie es auch nicht wüssten, was natürlich totaler Blödsinn war. Sie schienen es uns nicht sagen zu wollen, was uns Angst machte. Die beiden schauten uns kaum an und tuschelten viel miteinander.

Nach einer zweistündigen Fahrt mussten die Frauen mitten in der Pampa aussteigen. Wir waren bei ihrem künftigen Wohnheim angekommen. Genau den Klischees entsprechend, waren sie die Einzigen, die vernünftiges Gepäck dabeihatten. Vier Koffer und allerlei Plastiktaschen und -tüten, die so vollgestopft waren, dass sie jeden Moment zu platzen schienen. Wir Männer hatten alle winzige Rucksäcke dabei, ein paar von uns nicht mal das.

Nur ein paar Hundert Meter weiter, ebenfalls in einem absoluten Ödland, wurden ein Somalier, ein Albaner und zwei Pakistanis ausgesetzt. Im Bus blieben anschließend nur die Iraker zurück. Wir fuhren wieder ein ganzes Stück und irgendwann konnte ich in einiger Entfernung eine kleine Stadt erkennen, umgeben von einer traumhaften Landschaft mit Bergen.

»Endstation Niederhofen an der Donau«, rief der Fahrer.

Die meisten stiegen aus und kamen in ein Haus, das im Zentrum der kleinen Stadt lag, darunter auch Ali und Salim. Drei Jungs, Rafid und ich mussten aber noch im Bus sitzen bleiben. Wir wurden an den Stadtrand gebracht. Dort lag direkt an einem Fluss die zweite Asylbewerber-WG.

Sie war in einem normalen Wohnhaus untergebracht, vier Stockwerke hoch. In jeder Etage befanden sich zwei Wohnungen. Im Erdgeschoss gab es ein kleines Verwaltungsbüro, in dem der Hausmeister saß. Er schickte Rafid und mich in die dritte Etage. Wir betraten unser Zimmer und waren sehr überrascht. Es gab ein Sofa, einen Tisch, zwei Betten und einen Fernseher, sogar Geschirr war in der winzigen Küche. Diejenigen, die hier vor uns gewohnt hatten, mussten sehr ordentliche Personen gewesen sein.

Nachdem wir unsere Sachen abgelegt hatten, verließen wir das Heim sofort wieder, um uns umzusehen und ins Zentrum zu gehen. Es lag fünfzehn Gehminuten entfernt von unserem neuen Zuhause. In der Fußgängerzone vor dem Rathaus trafen wir Salim und Ali wieder. Wir umarmten und drückten uns so innig, als hätten wir uns jahrelang nicht gesehen. Dann gingen wir gemeinsam weiter, um den Ort zu erkunden.

Niederhofen an der Donau ist eine kleine Stadt und hat viele schöne Ecken. Einen Fluss mit einem traumhaften Ufer. Eine Burg auf dem Hügel. Enge, verwinkelte Gassen. Alte Fachwerkhäuser. Winzige exotische Geschäfte und große Einkaufspaläste. Nette Cafés und Kneipen. Eine Universität. Viele junge Menschen. Wir entdeckten sogar die ein oder andere Dönerbude, worüber wir uns sehr freuten.

Dönerbuden waren ein gutes Zeichen. Unter uns Asylanten gab es ein deutschlandweites Ranking, nach dem wir die Städte sortierten. Jeder, der irgendwelche Informationen beschaffen konnte, und sei es nur vom Hörensagen, konnte daran mitarbeiten. Der Dönerbudenindex besagte, ob viele Türken und andere Ausländer im jeweiligen Ort wohnten, und das wiederum war für uns alle ein wichtiger Anhaltspunkt, wie attraktiv eine Stadt war.

Niederhofen schnitt überraschenderweise ganz gut ab. Aber Berlin führte den Dönerbudenindex an und war daher der Sehnsuchtsort für uns alle.

Erst am Abend kehrten Rafid und ich ins Heim zurück. Wir waren beide ziemlich beeindruckt von der schönen Stadt, aber auch von den vielen jungen Leuten und Studenten, die den Ort lebendig machten.

Als wir in unser Stockwerk kamen, trafen wir zum ersten Mal unsere Nachbarn. Sie standen vor dem gemeinsamen Bad- und Toilettenraum herum. Wir stellten uns gegenseitig vor. Es waren drei Männer, zwei Kurden und ein Turkmene aus dem Irak. Sie wurden zu unserem ersten Albtraum in dieser so friedlich wirkenden Stadt.

Bald schon nannten wir sie die »H&M-Bande«, und das, obwohl sie auch bei C&A klauten. Mit viel Modeschmuck behangen, dicken, nietenbesetzten Gürteln, gegelten Haaren, glänzenden China-Kopien amerikanischer Turnschuhe und dunklen Kunstlederjacken oder khakifarbenen Sakkos lungerten sie montags bis samstags jeden

Nachmittag zu dritt vor H&M und C&A herum. Sie wirkten wie Karikaturen von Mafiosi aus schlechten Gangsterfilmen, wenn sie wie ein verschworener Haufen dastanden und die Vorbeigehenden mit durchdringenden Blicken musterten.

Hewe, Foad und Sargon waren die »großen« Männer unseres Asylantenheims. Ihre Bande war bekannter und allgegenwärtiger als die deutsche Flagge. Jeder von uns, mitsamt den Obdachlosen, Studenten, Kiffern, Alkoholikern und leichtsinnigen Jugendlichen der Stadt, kannte diese Jungs. Sie haben sie bestimmt auch schon mal gesehen, Frau Schulz. Und Rafid und ich, wir wohnten mit ihnen in derselben Etage und furzten auf demselben Klo.

Bei ihnen gab es ständig Krach. Sie veranstalteten oft Partys, tranken zu viel und hatten täglich zahllose Besucher, als betrieben sie ein Bordell. Solange sie sich in ihrem Zimmer aufhielten, gab es selten Ruhe. Nur am Vormittag, wenn sie ins Bett gingen, wurde es still.

Die drei hatten H&M, C&A und die nähere Umgebung als ihr Bandenrevier auserkoren. Irgendwie schafften sie es, obwohl sie ja ganz auffällig dort herumstanden und obwohl die Ware gesichert war, die Läden regelmäßig zu beklauen und die Sachen dann auf der Straße zum halben Preis zu verscherbeln. Keiner von ihnen hatte eine Arbeitserlaubnis, trotzdem schienen sie im Geld zu schwimmen. Man munkelte, dass sie von einem mächtigen deutsch-polnischen Gangsterboss unterstützt würden, der mit Drogen handelte, wobei sie wohl auch irgendwie mitmischten. Wer bei ihren Geschäften nicht mitspielte und ihre Straßenregeln missachtete, indem er sich zum Beispiel in ihre Machenschaften einmischte, wurde verprügelt. So erging es dem Marokkaner Mohammed, der im Obdachlosenheim wohnte. Er versuchte einmal, bei H&M ein Hemd zu stehlen, wurde aber vom Ladendetektiv erwischt. Die drei Straßengangster bekamen das sofort mit. Nachdem Mohammed von der Polizei gehen gelassen worden war, verdroschen sie den armen Teufel. Obwohl er das gestohlene Hemd gar nicht hatte verkaufen, sondern für sich selbst behalten wollen, galt seine Aktion für die H&M-Bande als Revierverletzung.

Hewe war ihr Anführer. Er war bereits mehrfach verhaftet worden. Einmal hatte er die Nase eines jungen Mannes gebrochen, weil dieser seine Flamme Claudia in einer Bar angemacht hatte. Er musste daraufhin ein paar Tage im Knast verbringen.

Claudia, Anna und Birgit waren die Freundinnen der H&M-Bande. Alle drei besuchten die Berufsschule in Niederhofen, weil sie irgendeine Ausbildung machten. Sie waren Dauergäste bei uns auf der Etage, man hatte das Gefühl, dass sie im Asylantenheim wohnten. Claudia war blond, redete nicht viel, aber lächelte stets sehr herzlich. Birgit hingegen war schwarzhaarig, hatte viel zu kurze Beine und war sehr dick. Auch Anna hatte eine unmögliche Figur. Sie hatte fast keinen Hals, ihr Kopf saß direkt auf ihren Schultern. Außerdem hatte sie einen unglaublich riesigen Hintern, einen überhängenden Bauch, aber keine Brust. Die Eltern von Claudia, Anna und Birgit kamen alle aus Osteuropa. Ich weiß nicht genau, woher. Vermutlich aus Tschechien oder Polen. Die drei Mädchen jedoch waren alle hier geboren worden und demnach echte Niederhofenerinnen.

Mehr weiß ich nicht über die drei Freundinnen, weil

mein Deutsch nicht gut genug war, um mich mit ihnen unterhalten zu können. Aber auch wenn ich es gekonnt hätte, wäre es nahezu unmöglich gewesen, mehr über sie zu erfahren. Denn sie hingen jeden Abend und das ganze Wochenende mit der H&M-Bande herum. Manchmal brachten sie sogar andere junge Mädchen mit, die im Heim feiern und Haschisch rauchen wollten.

Ich gebe zu, liebe Frau Schulz, dass ich oft eifersüchtig auf diese Jungs war. Sie hatten Geld und Frauen. Im Vergleich zu ihnen war ich in beiden Bereichen der totale Versager. Aber das war in erster Linie meiner Situation geschuldet. Wie sollte ich ohne wirkliche Deutschkenntnisse und ohne Geld mit einer Frau anbandeln und etwas mit ihr unternehmen? In den vier Diskotheken der Stadt bin ich nie gewesen. Ich habe es ein paarmal probiert, wurde aber nie reingelassen. Da ließ ich es bleiben. Einerseits hatte ich keine Lust, von den Türstehern wie Dreck behandelt zu werden, und andererseits hatte ich sowieso Sorge, dass beim Tanzen meine Brüste zu sehr wackeln könnten. Überall musste ich aufpassen. Sogar bei uns zu Hause. Im Asylantenheim in Niederhofen gab es nämlich in den Duschräumen keine Türen. Wie ein Dieb schlich ich mich jedes Mal ins Bad, duschte mich nur wenige Sekunden ab und hoffte, dass keiner mich erwischte.

Im Haus kam es regelmäßig zu Schlägereien. Hewe, der vom einen auf den anderen Moment völlig ausflippen konnte, war sehr bekannt für seine Aggressivität. Wenn er mal etwas sagte, dann waren es Weisheiten von der Straße.

»Taten zählen, nicht Worte.«

Und seine Taten hatten meistens entweder mit seinen

Fäusten zu tun oder mit seinem geliebten Spielzeug, einem Armeemesser.

Einmal hatte er Streit mit einem Mädchen, das irgendwie mit der ortsansässigen Serbenbande zusammenhing. Sie informierte ihren Clan und es kam zu einem Kampf. Hewe verprügelte mitten in der Fußgängerzone drei der Serben und zog dann seinen Dolch. Die Situation wurde mit einem Mal noch ernster, als sie es zuvor schon gewesen war, und die Serben ergriffen die Flucht. Wie paralysiert blieb Hewe dann einfach stehen und kratzte sich mit der Spitze des Armeemessers durch die Jeans hindurch im Schritt. Passanten hatten längst die Polizei gerufen und Hewe ließ sich ohne Widerstand festnehmen. Am nächsten Tag wurde ein Foto von ihm in der *Niederhofener Neuen Presse* abgedruckt. Hewe war mächtig stolz darauf und hängte sich den Zeitungsartikel an die Wand über sein Bett.

Er musste wegen des Vorfalls für vier Wochen in den Knast. Ich vermute, liebe Frau Schulz, dass Hewe sich bei seinem Asylverfahren als irakischer Araber ausgegeben hat. Anders konnte ich mir das nicht erklären. Denn sonst hätte man ihn als Kurde schon vor dem Sturz des Saddam-Regimes in den Nordirak abgeschoben, weil er ständig Straftaten beging. Aber Sie wissen ja besser als ich, wie Ihre komischen Gesetze funktionieren.

Nach seiner Entlassung gab er eine Party in seinem Zimmer. Alle im Heim waren dazu eingeladen. Es gab etwas zu essen und viel Wodka. Ich war überrascht, als ich hörte, wie gut Hewe auf einmal Deutsch sprechen konnte. Vor dem Gefängnisaufenthalt hatte er die meisten Wörter nur mühsam aussprechen können. Jetzt sprach er ziemlich flüssig. Hewe erzählte uns, es habe im Knast nur deutsche Häftlinge gegeben.

»Dort kann man echt super Deutsch lernen. Hier im Asylantenheim ist man ja nur von euch Dummköpfen umgeben!«

Es war absurd, aber als ich in die Gesichter der anderen Asylanten schaute, hatte ich den Eindruck, dass wir uns alle wünschten, für eine kurze Zeit im Gefängnis zu landen, um dort schnell Deutsch zu lernen.

IM VERGLEICH ZU BAYREUTH spielten in Niederhofen die Einheimischen eine wichtigere Rolle in unserem Leben. Sie, Frau Schulz, gehörten zu den ersten Personen, die wir regelmäßig sahen.

Irgendwie sehen Sie ständig genervt und gestresst aus, als hätten Sie ununterbrochen Ihre Tage, mit Unterleibskrämpfen und allem, was dazugehört. Wir mussten nur Ihren Namen aussprechen und uns alle überkam sofort schlechte Laune. Das wird daran liegen, dass Sie für alles zuständig sind, was unser Leben erleichtert oder erschwert: Aufenthaltserlaubnis, Ausweis, Arbeit, Abschiebungsbescheid, Taschengeld, die achtzig Mark – später die vierzig Euro, sowie die Arztbescheinigungen.

Die einzige Person in Ihrer Behörde, die wir gernhaben, ist Frau Richter. Jeder weiß, dass ihr Zimmer das beste von allen ist. Sie sitzt da und versucht, ehrlich und engagiert eine echte Lösung für unsere Probleme zu finden. Bei Ihnen und den anderen Beamten dagegen heißt es immer nur »So ist das Gesetz!« oder »Kommen Sie nächste Woche wieder!«.

Wissen Sie, Frau Schulz, was Zimmerroulette ist? Zimmerroulette ist ein Spiel, das mit dem Ziehen der Wartenummer beginnt und mit der Zuweisung eines Zimmers endet. Je nachdem auf welchen Beamten man trifft, werden die Dinge erledigt oder eben nicht. Das bedeutet, wenn einer von euch Beamten zu Hause mit seiner Frau Probleme hat oder ihm ein Furz quer sitzt, wird das Leben für uns Ausländer sehr kompliziert. Jeder Besuch hier bei Ihnen ist das reinste Glücksspiel.

Und Sie, Frau Schulz, Sie sind eine von denen, die die kleinste Angelegenheit zu einem Staatsakt verkomplizieren, während bei Frau Richter vieles plötzlich ganz leicht ist. Jedes Mal, wenn ich hier in der Ausländerbehörde vor dem Informationsschalter stand, konnte ich sehen, wie die Unsrigen aufgeregt auf den Bänken hin- und herrutschten und Stoßgebete an Allah richteten, damit sie bloß nicht bei Ihnen landeten. Frau Richter hingegen lächelt jeden von uns an, wenn sie mit uns spricht, und sie hat etwas, was Sie und Ihre ganzen männlichen Kollegen nicht haben: Verständnis.

Ich rege mich zu sehr auf. Ich muss mir noch einen Joint drehen, ist das in Ordnung?

Ein anderer Deutscher, den wir oft sahen, weil er zwei Mal wöchentlich bei uns im Heim auftauchte, war unser neuer Azrael, der Hausmeister. Wie sein Kollege in Bayreuth brachte auch er uns die Post und das wöchentliche Esspaket. Er blieb immer genau vier Stunden, dann haute er wieder ab. Manchmal versuchte er, irgendetwas an unserem alten, baufälligen Haus zu reparieren, hörte aber recht schnell wieder mit der Arbeit auf, um nach neuen Reparaturstellen zu suchen, nach exakt vier Stunden seinen Hammer fallen zu lassen und Feierabend zu machen.

Diverse Polizisten tauchten auch oft bei uns auf. Wenn irgendetwas in der Stadt gestohlen wurde, suchten sie zuerst bei uns danach.

Die wichtigsten Menschen in unserem Leben jedoch waren weder Sie, Frau Schulz, noch Azrael oder die Bullen. Die wichtigsten Menschen waren die Wochenendbesucher. Die standen immer samstags und sonntags entweder direkt vor unserer Haustür oder spazierten am Ufer entlang und beobachteten, ob einer von uns zufällig herauskam. Wenn ein Flüchtling dann das Haus verließ, begutachteten sie ihn, als wäre er ein schmackhaftes, saftiges Stück Fleisch in der Auslage des örtlichen Metzgers.

Die Wochenendbesucher haben Geld. Sie sind großzügig, gehen ständig in Restaurants essen und amüsieren sich in Cocktailbars. Ihre Schuhe kommen aus Italien, die teuren Parfüms aus Frankreich und ihre Klamotten sind von Edelmarken wie Chanel. Sie machen Urlaub in weit entfernten Ländern. Ihre Wohnungseinrichtungen sind prachtvoll wie in einem Präsidentenpalast von Saddam. Da gibt es alles, sogar stapelweise Getränke und Lebensmitteldosen in einer eigenen Speisekammer. Sie haben nicht nur eine Dusche, sondern auch eine Badewanne und ein Gästeklo. Im Schlafzimmer steht ein überdimensional großes Bett, in dem meine ganze Familie schlafen könnte. Einige besitzen sogar Buddhafiguren und Perserteppiche und reden ständig von mediterraner Atmosphäre.

Ich habe mich nie auf die Wochenendbesucher eingelassen und weiß das alles nur aus zweiter Hand. Bereits an meinem ersten Wochenende in Niederhofen wurde mir klar, was diese Männer und Frauen von uns wollten und wieso sie sich in unserer Nähe aufhielten. Es gab drei unterschiedliche Arten von ihnen. Entweder waren es Drogendealer, die nach neuen Mitarbeitern suchten. Oder es waren ältere Damen und Herren, die junge ausländische Männer vernaschen wollten. Oder es waren Zuhälter, die Nachschub für ihre Stammkunden suchten.

Khaled, ein Mitbewohner aus dem Heim, den wir Khaled die Liebe nannten, war einer der beliebtesten Toy Boys der alten Damen und Herren in Niederhofen. Als ich davon erfuhr, verstand ich mit einem Mal, wieso er ständig außerhalb übernachtete, woher er so viel Geld hatte und wieso er mit uns anderen nichts zu tun haben wollte. Er drehte manchmal sein Gesicht weg, wenn er in einem Café saß und uns auf der Straße herumlungern sah, vermutlich weil er Sorge hatte, wir könnten ihm das Geschäft kaputt machen. Khaled tat das alles aus Liebe. Nicht für die alten Damen, sondern für eine junge Kulturwissenschaftsstudentin, in die er sich unsterblich verliebt hatte. Die war sehr kostspielig. Er lud sie zum Pizzaessen ein, spendierte ihr Drinks, kaufte Klamotten und Schmuck für sie.

Auch ein Libyer namens Musa ließ sich auf die Damen ein. Er ging eines Samstags mit einer der deutschen Besucherinnen weg und tauchte erst am Dienstag wieder auf. Wir trauten unseren Augen nicht. Er hatte einen neuen Haarschnitt, sah gepflegt aus, trug eine Lederjacke, neue Jeanshosen und schwarze italienische Schuhe. Er sagte, er habe Sex mit der Frau gehabt, und das habe etwas Überwindung gekostet, sei aber gar nicht mal schlecht gewesen. Man müsse nur die Augen schließen und den Unterleib kreisen lassen. Er wolle das sogar wieder tun.

»Ich wäre sogar dazu bereit, mit so einer alten Schachtel zusammenzuleben. Das ist immer noch besser, als hier im Asylantenheim zu verschimmeln.«

Seitdem sahen wir ihn nur noch selten, als habe er seinen Hauptwohnsitz verlegt. Er wurde ebenfalls zu einem beliebten Lover, immerzu kamen Damen bei uns vorbei und fragten nach ihm.

Neben Khaled und Musa machten noch sechs weitere Jungs Geschäfte mit den Wochenendbesuchern. Es war leicht herauszufinden, wer beteiligt war. Diejenigen von uns, die sich mehrmals wöchentlich ein Bier oder einen Döner leisten konnten, mussten sich auf diesem Wege etwas dazuverdient haben. Oder sie hatten gestohlen. Andere Erklärungen gab es nicht.

Ich hätte nie gedacht, dass auch ich einmal eine seltsame Geschichte mit einem der Wochenendbesucher erleben würde.

Khaled nämlich bekam im Sommer seine Aufenthaltserlaubnis und entschied sich, die Wochenendbesucher und seine Kulturwissenschaftsstudentin zu verlassen, um nach Nürnberg zu gehen und sich dort einen richtigen Job zu suchen. Er verabschiedete sich von mir, gab mir seine Handynummer und sagte, ich solle ihn besuchen, wenn ich irgendwann reisen dürfe. Ich war überrascht und bedankte mich bei ihm. Eigentlich kannten wir uns ja gar nicht gut.

Ein paar Tage nachdem Khaled Niederhofen verlassen hatte, hielt plötzlich ein Auto neben mir. Ich starrte auf die Luxuskarosse, da ich so ein schönes Auto noch nie zuvor aus der Nähe gesehen hatte. Es musste ein echter Ferrari sein. Ein Mann saß am Steuer, und vom Nebensitz aus fixierte mich eine kleine Katze mit misstrauischem Blick. Das weiße Fell war zottelig, schien aber von Hand gekämmt worden zu sein, es glänzte wie frisch eingeölt. Das

Halsband, das man unter den langen Haaren kaum erkennen konnte, war aus knallrotem Leder gefertigt und mit Edelsteinen besetzt. Das Vieh saß auf einem Deckchen und sah unfassbar träge und gelangweilt aus. Wie ich später erfuhr, handelte es sich um die Langhaarvariante des British Shorthair. Das klingt ja schon wie ein englischer Lord und ungefähr so schien die Katze auch behandelt zu werden. Ihrem Blick nach zu urteilen, schien sie sich sogar selbst darüber bewusst zu sein.

»Ich bin's! Steig ein!«

»Was? Wer du bist?«

Der eigentlich eher bleich wirkende Mann hatte Rouge im Gesicht. Ich konnte gar nicht genau sagen, ob er Pausbäckchen oder Hängewangen hatte. Sein Alter war nur schwer zu schätzen. Surreal war der Anblick allemal, auch der seiner schneeweißen Porzellanzähne. Er hatte blondes, fast gelbes, auftoupiertes Haar. Ich war mir nicht sicher, ob er eine Perücke trug oder ob ihm vielleicht sogar Haare eingepflanzt worden waren. Auch der Bart und die Augenbrauen schienen nicht echt zu sein.

Er trug einen weißen Anzug aus edel glänzendem Stoff, der in verschiedenen Schattierungen schimmerte, darunter ein schwarzes Hemd. In die Brusttasche des Sakkos hatte er ein rosafarbenes Seidentuch gesteckt. Er war ein eher kleiner Mann, kein Fettkloß, wirkte aber trotzdem sehr feist. Sein Hals schien kaum durch den Hemdkragen zu passen, und ich wunderte mich, dass er trotz des zugeknöpften Hemdes noch atmen konnte. Seine Finger waren fett und wurden von zahlreichen mit Brillanten besetzten Ringen eingedrückt und abgeschnürt.

»Ich habe für unser Treffen bezahlt.«

»Ich verstehe Deutsch nicht gut. Was bezahlt?«

»Khaled.« Der Mann zog jetzt die verspiegelte Pilotenbrille vom Gesicht und sah mich mit eiswasserkalten blauen Augen an.

»Was Khaled?«, fragte ich.

»Die Nacht?«

»Was? Ich nix verstehe.«

Ich ging weg. Der Mann blieb mit seinem Auto hinter mir und verfolgte mich im Schritttempo. Er begleitete mich bis zum Asylantenheim. Vor der Haustür drehte ich mich um und sah, wie er seinen Wagen parkte.

Ich rannte schnell hoch auf unser Stockwerk und suchte nach der Handynummer von Khaled. Als ich sie gefunden hatte, ging ich sofort rüber zur H&M-Gang. Ohne an die Tür zu klopfen, marschierte ich ins Zimmer. Nur Hewe war da. Er betrachtete sich gerade im Spiegel und übte Posen.

»Hey, was ist los?«

»Ich muss mit deinem Handy telefonieren!«

»Warum?«

»Khaled hat Scheiße gebaut! Bitte!«

Ich hielt ihm den Zettel mit der Nummer hin. Hewe wählte und gab mir dann das Handy.

»Mach das Ding nicht kaputt, sonst bring ich dich um! Und telefonier nicht so lange, ich bin nicht die Caritas!«

Ich ging mit dem Telefon am Ohr zurück in mein Zimmer und schmiss mich genervt aufs Sofa.

»Ja?«, hörte ich endlich Khaleds Stimme.

»Hey, ich bin's, Karim aus Niederhofen. Es gibt einen Mann hier, der mich verfolgt. Er sagt, er habe dich bezahlt.«

»Der mit dem Ferrari?«

»Ja.«

»Das ist Wolfram Maria von Richthausen. Jeder kennt ihn. Er hat unendlich viel Geld.«

»Ist mir scheißegal, was will der von mir?«

»Karim, es tut mir echt leid, aber ich brauchte das Geld. Er hat dich mal auf der Straße gesehen und seitdem ist er scharf auf dich. Ich habe dich an ihn verkauft. Für hundert Mark. Entschuldigung. Aber für hundert Mark würde ich das ganze Asylantenheim verkaufen.«

»Ich bringe dich um, Khaled!«

Richthausen verfolgte mich fast sechs Wochen lang durch ganz Niederhofen. Überall in der Stadt tauchte er auf, fuhr ein paar Meter neben mir her, rief mir etwas zu, winkte mich zu sich. Ich hatte Angst vor ihm. Einerseits war ich stärker als er und hätte ihn problemlos aus dem Auto herausziehen und verprügeln können. Andererseits konnte ich gar nichts tun, weil der Mann sicherlich sehr einflussreich war und ich nur ein Asylant. Ich hielt es aus und beachtete ihn nicht. Irgendwann ließ er mich von einem auf den anderen Tag in Ruhe.

Das nächste Mal, dass ich ihn sah, Frau Schulz, ist erst vier Monate her. Auf der Titelseite einer Zeitung war ein großes Foto von ihm und der berühmten Katze, daneben eines von Khaled. Völlig schockiert starrte ich auf die Schlagzeile: »Iraker gesteht Mord an Richthausen!«

Ich überflog schnell die kurze Nachricht. Scheinbar hatte es zwischen den beiden in der Richthausen-Villa bei Nürnberg einen Streit über nicht entlohnte, aber geleistete Liebesdienste gegeben. Khaled war daraufhin wohl ausgeflippt und hatte Richthausen mit einem Küchenmesser erstochen.

Ich konnte nicht glauben, dass der lebenslustige Khaled zu so etwas fähig war. In den folgenden Tagen berichteten alle Zeitungen und Fernsehsender über ihn und seine grauenvolle Tat. Bestimmt haben Sie auch davon gehört, Frau Schulz. Sie kannten doch Khaled.

MANCHE VON UNS verkauften ihre Ärsche und Schwänze, um sich ein paar Kröten dazuzuverdienen. Andere wurden zu Dieben oder Drogendealern. Der Rest von uns, wie ich, musste mit achtzig Mark monatlich auskommen.

Es gab nur eine einzige legale Möglichkeit, wie man diesen Betrag ein bisschen aufstocken konnte. Sie, Frau Schulz, halfen uns dabei. Als Asylanten durften wir ja nicht normal arbeiten gehen. Ihre Behörde erlaubte uns jedoch, für einen Stundenlohn von einer Mark einen sogenannten »Integrationsjob« auszuüben. Nicht mehr als achtzig Stunden im Monat, also achtzig Mark zusätzlich.

Oft ging es dabei um die Reinigung von Gebäuden oder um kleine Gartenarbeiten. Die meisten Asylbewerber allerdings wollten diese Arbeitsangebote nicht annehmen. Ich habe ehrlich gesagt nur aus zwei Gründen mitgemacht. Weil ich mich zu Tode gelangweilt habe, während ich auf das Ergebnis des Asylantrags warten musste. Und weil ich mir mit dem Geld ein paar Schachteln Zigaretten kaufen konnte.

Ich hatte nämlich die Nase gestrichen voll, mir auf der Straße von den Vorbeigehenden Zigaretten zu schnorren oder irgendwo in den Aschenbechern vor den Geschäften und Kneipen nach Stummeln zu suchen, von denen man noch ein, zwei Züge nehmen konnte.

Aber glauben Sie nicht, dass das Betteln nach Zigaretten eine einfache Angelegenheit ist. Es ist eine Kunst, die man sich mühsam aneignen muss. Der Marokkaner Mohammed, der Obdachlose, hat mir die nötigen Tricks beigebracht. Er war ein Meister auf diesem Gebiet. Man fragt nicht jeden nach einer Kippe, sondern wählt eine bestimmte Sorte von Mensch aus. Einen Mann, der mit Frau und Kindern unterwegs ist, zum Beispiel. Er kann nicht »Nein« sagen. Wie soll er seinen Kindern erklären, dass er einem Bedürftigen nicht geholfen hat? Auf solche und andere passende Kandidaten machten wir Jagd in der Fußgängerzone und am Flussufer.

Um nicht weiter diese mühsame Kunst auszuüben, ging ich in meiner dritten Woche in Niederhofen zur Ausländerbehörde, zu Ihnen, Frau Schulz. Sie hätten Ihr Gesicht sehen müssen, als ich Ihnen sagte, dass ich freiwillig wegen der Arbeit zu Ihnen gekommen sei. Dieser unendliche Missmut in Ihren Zügen verschwand, und mit einem Mal lächelten Sie sogar freundlich. Das war das erste und letzte Mal, dass Sie mich angelächelt haben. Ich vermute, dass Sie danach Muskelkater hatten, weil Sie die Gesichtsmuskeln, die zum Lächeln nötig sind, zuvor sicher schon jahrelang nicht mehr benutzt hatten.

»Es ist gerade eine Stelle frei geworden«, sagten Sie. »Als Müllsortierer. Einer Ihrer Leute hat seine Aufenthaltserlaubnis bekommen und ist nicht mehr darauf angewiesen. Sie können seinen Job haben. Das Trinkgeld ist gut. Die Leute sind großzügig.«

Der Wertstoffhof lag am Stadtrand. Es war ein großer Platz, umzäunt von Blechwänden. Darauf standen viele unterschiedliche Müllcontainer. In der Mitte des Grundstücks gab es einen Wohncontainer, in dem die Mitarbeiter ihre Pausen verbringen konnten. Eine kleine Küche und ein Klo gab es auch. Es war schwierig, mit den vier netten Angestellten auf Bayerisch zu kommunizieren, aber sie waren schon daran gewöhnt, mit Typen wie mir zusammenzuarbeiten. Sie waren so um die fünfzig Jahre alt, drei Damen und ein Herr Bernhard. Er brachte mir bei, wie ich die Dinge zu erledigen hatte. Ich sortierte Abfälle, Papier und anderes Zeug in die Container ein. Im Allgemeinen brauchte es für die Arbeit nicht viel Wissen. Ich musste nur ein paar Wörter und Sätze lernen, die ich dann ständig wieder verwendete: Wo soll das hin? Plastik oder Restmüll? Danke. Bitte. Hallo. Auf Wiedersehen.

Aus diesen Bausteinen baute ich meine Sätze, ich recycelte und sortierte die Vokabeln genauso wie den Müll.

Der Müll wurde so streng geordnet wie Produkte in einem gut sortierten deutschen Supermarkt. Papier, Bio, Plastik, Glas, Bauschutt, Elektroschrott, Klamotten, Schuhe und so weiter. Dennoch litt ich jedes Mal sehr, wenn ich mit ansah, was alles weggeworfen wurde. Mindestens die Hälfte des Mülls wäre im Asylantenheim noch von Nutzen gewesen, zumindest nach ein paar kleineren Reparaturen.

Eine andere meiner Aufgaben war es, den Leuten zu helfen, die ihre Sachen zum Wertstoffhof brachten. Ich nahm ihnen ihre Taschen oder Kisten ab und verteilte die Dinge auf die Container. Die Kunden waren tatsächlich großzügig. Ich bekam oft fünfzig Pfennig oder eine Mark als Belohnung für meine nette Art. Manchmal kehrte ich mit ganzen fünf oder sieben Mark zusätzlich nach Hause zurück.

Einmal bekam ich sogar zwanzig Mark. Das war von Wolfram Maria von Richthausen, der damals noch lebte und mich mit seiner englischen Lord-Katze bis zur Arbeit verfolgt hatte. Er drückte mir eine Kiste in die Hand, die zwei neuwertige Hemden und ein paar Schuhe enthielt. Ich entleerte sie, und er gab mir daraufhin einen Zwanzigmarkschein, schaute mir tief in die Augen, als wolle er flirten, und ging mit seiner Katze im Arm wieder fort.

Die Arbeit auf dem Wertstoffhof war ein absoluter Traumjob. Ich bekam täglich Trinkgeld und konnte damit meinen Zigarettenkonsum finanzieren. Außerdem durfte ich, wenn gerade nur Herr Bernhard vor Ort war, und wenn ich es halbwegs unauffällig bewerkstelligen konnte, vom Wertstoffhof mitnehmen, was ich wollte. Im ersten Monat besorgte ich für unser Zimmer einen Kassettenrekorder. Und für das Asylantenheim von Ali und Salim schleppte ich einen kleinen Fernseher durch halb Niederhofen.

Im Heim waren einige andere Flüchtlinge ziemlich neidisch auf mich. Sie konnten sehen, dass ich im Vergleich zu ihnen mittlerweile gut angezogen war. Natürlich konnte ich mich noch immer nicht täglich ins Café oder in die Kneipe setzen wie die Einheimischen, die Gangster oder die Toy Boys, etwa einmal die Woche jedoch leistete ich mir dieses Vergnügen. Einmal stand ich vor einem Imbiss und aß einen großen Dürum-Döner, als Sargon von der H&M-Bande vorbeikam und etwas sagte, was mich ein bisschen stolz machte.

»Für einen Müllsortierer bist du ganz schön fein geworden. Du frisst ja sogar die teure Dürümrolle und nicht mal einen normalen Döner.«

Von Montag bis Donnerstag arbeitete ich fünf Stunden täglich. Ich begegnete dabei zahlreichen Menschen, die ihren Müll entsorgen wollten. Selten kamen junge Leute vorbei, in der Regel nur alte Damen und Herren. Den Rest der Woche hatte ich frei, ging mit den Jungs spazieren oder blieb im Heim und träumte von dem Bescheid aus Nürnberg.

Es wurde Sommer, mein erster Sommer in Deutschland. Die Sonne schien jetzt öfter, und man konnte draußen viel unternehmen. Die ersten Touristen tauchten auf und bummelten durch die Altstadt. Die Jugendlichen versammelten sich am Flussufer mit ihren Bierflaschen und das Lachen der Mädchen wurde lauter.

Noch immer jedoch vergingen meine Tage unendlich langsam. Ich wartete und wartete. Bis der August kam. Da änderte sich alles schlagartig.

Eines Morgens teilte mir Herr Bernhard mit, dass es einen neuen Mitarbeiter gebe. Er habe einen unbefristeten Vertrag. Damit ende meine Anstellung heute. Völlig niedergeschlagen kehrte ich mit dem Bus ins Zentrum zurück und ging direkt zur Ausländerbehörde. Frau Schulz, einer Ihrer Kollegen sagte mir, er werde einen neuen Job für mich suchen. Das ist inzwischen knapp zwei Jahre her, und bis heute habe ich keine Antwort von ihm bekommen. Aber wissen Sie was? Zwei Wochen später musste ich solche Jobs sowieso nicht mehr ausüben. Denn endlich wurde ich als Asylberechtigter anerkannt.

Salim war der Erste von uns, der den positiven Bescheid seines Asylantrags erhielt. Das feierten wir. Salim kochte spanische Tapas und wir quatschten und tranken bis zum Morgengrauen. Alle träumten an jenem Tag davon, selbst einen so erfreulichen Moment erleben zu dürfen und ihn mit den anderen zu teilen.

Eine Woche später brachte mir Azrael den grünen Brief, auf den ich so lange gewartet hatte. Ich zögerte, ihn aufzumachen und zu lesen, legte ihn auf den Tisch und starrte den Umschlag minutenlang an, während ich nervös an meiner Unterlippe knabberte, bis sie wund war. Rafid wurde irgendwann ungeduldig, öffnete ihn vorsichtig und umarmte mich dann stürmisch.

»Glückwunsch, mein Lieber!«

Es war purer Zufall und mein größtes Glück, dass mein Bescheid noch vor dem 11. September ausgestellt worden war. Denn nach den Terroranschlägen auf das World Trade Center und das Pentagon kamen kaum mehr Bescheide im Asylantenheim an, weder positive noch negative. Als hätten die Nürnberger Richter das gesamte Asylverfahren einfach auf Eis gelegt, weil nun alle Flüchtlinge erst mal unter Generalverdacht standen.

Ich ging mit dem Brief zur Ausländerbehörde und bekam einen blauen Reisepass, der für Heimatlose und asylberechtigte Personen ausgestellt wird. Eine zweijährige Aufenthaltserlaubnis wurde mir gewährt. Mit diesem Reisedokument durfte ich alle Länder der Welt besuchen, außer dem Irak natürlich. Ich freute mich auf ein Leben als freier Mann, der sich zwei Jahre lang bewegen kann, wie er will. Es war, als hätte man mich nach vielen Jahren aus dem Gefängnis entlassen.

Salim entschied sich, sofort nach München zu fahren und einen Job zu suchen. Sein Bruder Majed wohnte ja dort und konnte ihm helfen, erst einmal eine Bleibe in dieser teuren Stadt zu finden. Ich hingegen hatte außerhalb des Iraks keine Verwandten. Es gab nur Onkel Murad in Paris, den Freund meines Vaters, aber ich konnte mir keine Reise leisten, die über die Grenzen Bayerns hinausging. Und arbeiten durfte ich in Frankreich sowieso nicht. Also blieb ich in Niederhofen.

Ich musste nun innerhalb eines Monats das Asylantenheim verlassen und wollte mir bis dahin einen Job, eine Krankenversicherung und vor allem eine Unterkunft beschaffen. Eine Wohnung zu finden war aber alles andere als einfach.

Ich ging zu Frau Mohmadi von der Caritas, um dort nachzufragen, was ich jetzt tun könne. Frau Mohmadi wiederum empfahl mir, zum Arbeitsamt zu gehen. Herr Sepp vom Arbeitsamt riet mir dann, ich solle irgendwo jobben. Rafid war extra mit mir mitgekommen und übersetzte alles.

»Ich will gern vorher die Sprache erlernen und brauche dafür Unterstützung.«

»Das ist kein Problem. Das freut uns, dass Sie die Sprache lernen wollen«, sagte Herr Sepp. »Sie müssen aber erst ein Jahr lang arbeiten und Steuern zahlen. Danach können wir Ihnen einen Sprachkurs finanzieren.«

»Aber wie soll ich ein Jahr lang ohne Sprachkenntnisse arbeiten oder überhaupt einen Job finden?«

»Wie alle Ihre fleißigen Landsmänner auch. Ich könnte Ihnen eine Stelle bei Burger King vermitteln. Es ist nur eine Teilzeitarbeit, aber für den Anfang ist das genau das Richtige für Sie. Sie sind krankenversichert, verdienen etwas Geld und können langsam ein guter Bürger werden.«

»Entschuldigen Sie«, sagte Rafid. »Wie meinen Sie das, ein Burger werden?«

»Nein«, sagte Herr Sepp. »Nicht Burger, Bürger! Bürger. Bewohner des Landes. Bürger. Mit Umlaut. Also Staatsbürger. Deutscher. Bei Burger King. Arbeit. Dann. Bürger.«

»Oh, ich verstehe. Entschuldigung.«

»Nach einem Jahr kommen Sie einfach wieder zu uns«, fuhr Herr Sepp fort. »Wir kümmern uns dann um die Sprache. Wenn Sie jetzt noch nicht arbeiten wollen, ist das auch in Ordnung, aber dann müssen Sie sich komplett selbst um Ihr Leben kümmern. Wir sind dann für Sie nicht zuständig, sondern das Sozialamt.«

»Ich hätte lieber einen anderen Job, wenn das irgendwie geht.«

»Waren Sie in Ihrem Heimatland berufstätig?«

»Na ja, ich war noch Schüler, habe mein Abitur gemacht und dann bin ich geflohen.«

»Ich werde mal schauen, was ich machen kann, und melde mich bei Ihnen.«

Er drückte mir noch irgendeinen Wisch in die Hand, den ich beim Sozialamt abgeben sollte. Auf dem Weg dorthin lachte sich Rafid zu Tode und wiederholte immer wieder denselben Satz.

»Ein guter Bürger im Burger King!«

Auf dem Sozialamt war ein etwa dreißigjähriger Kerl namens Krämer für mich zuständig. Der Mann war geisterhaft bleich. Ich vermute, er schluckte irgendwelche harten Medikamente und war gesundheitlich nicht auf der Höhe. Er schien zudem eine leichte Behinderung zu haben, er konnte seine linke Hand nicht gut bewegen. Weder lächelte er noch schaute er mich böse oder genervt an.

Er war völlig neutral und emotionslos. Er verrichtete seine Arbeit mit absoluter Genauigkeit, wollte alles haarklein notieren, was ich zu sagen hatte. Er hörte mir genau zu, zeigte jedoch keine Regung. Er verlangte von mir, einige Formulare auszufüllen. Diese nahm ich mit nach Hause und kämpfte tagelang, um die Paragrafen und all das Kleingedruckte zu verstehen. Auch Rafid verzweifelte an dem Formular.

»Ich kapiere nicht, was da steht, Karim. Wirklich. Das ist kein Deutsch, das ist Indonesisch. Wir brauchen Unterstützung. Vielleicht kann Katharina uns helfen?«

Katharina war eine Studentin, die freiwillig bei der Caritas jobbte und Frau Mohmadi bei der Arbeit half. Rafid, sie und ich verbrachten etwa vier Stunden damit, die Formulare auszufüllen. Alle Punkte, die sie nicht verstand, schrieb sie auf und fragte telefonisch bei Herrn Krämer im Sozialamt nach. Ich unterschrieb schließlich den ganzen Papierkram und brachte alles zu dem bleichen Herrn Krämer zurück. Der teilte mir daraufhin ein Zimmer im Obdachlosenheim zu und Geld für meinen Unterhalt. Immerhin dreihundertachtzig Mark monatlich. Das alles sei als Übergangslösung gedacht, bis ich selbst einen Job und eine Wohnung gefunden hätte.

Am Tag, an dem ich das Geld vom Sozialamt bekam, kaufte ich mir ein Handy mit Prepaidkarte, rief sofort meine Familie in Bagdad an und behauptete, ich hätte bereits einen guten Job gefunden, eine nette Wohnung im Zentrum von Niederhofen angemietet und sei in guten Händen. Ganz bald würde ich mit meinem Studium anfangen. Dann war mein Guthaben aufgebraucht und mitten im Gespräch wurde die Verbindung unterbrochen.

Voller Naivität und Enthusiasmus glaubte ich Herrn Krämer tatsächlich, dass das alles eine kurzfristige Übergangslösung sei. Ich war davon überzeugt, es wäre möglich, eine richtige Arbeit zu finden und bald sogar zu studieren, wenn ich Deutsch gelernt hätte. Allerdings war das ein großer Irrtum.

Mein irakischer Schulabschluss wurde nämlich nicht anerkannt. Ich sollte zwei Semester lang ein Studienkolleg besuchen, um das deutsche Abitur nachzuholen, bevor ich studieren durfte. Um die Zulassung zum Kolleg zu erhalten, musste man wiederum eine Prüfung ablegen. Um diese Prüfung schreiben zu dürfen, brauchte ich allerdings ein Sprachzeugnis, nämlich die zentrale Mittelstufenprüfung des Goethe-Instituts. Also Kurse auf dem Sprachniveau A1 bis B2, mit Extravorbereitungskursen für die Prüfung im Goethe-Institut selbst oder in einer anderen Sprachschule. Die Vorbereitung auf die Zulassungsprüfung für das Studienkolleg würde so mindestens zwölf Monate dauern und ein Vermögen kosten. Oder aber ich musste eben zwölf Monate lang arbeiten, um den Sprachkurs vom Arbeitsamt bezahlt zu bekommen. Frühestens drei Jahre nach meiner Anerkennung hätte ich also mit dem Studium beginnen können. Goodbye, Enthusiasmus.

Das Obdachlosenheim lag ziemlich weitab vom Schuss. Es dauerte fünfundzwanzig Minuten mit dem Bus bis zur Niederhofener Stadtmitte. Das Haus war früher vermutlich mal ein Hotel gewesen. Es hatte vier Stockwerke und in jeder Etage reihten sich Einzelzimmer aneinander. Die Toiletten und Bäder befanden sich am Anfang jedes Flurs.

Viele der Obdachlosen waren entweder geduldete Ausländer oder drogenabhängige Inländer. Ich und meinesgleichen blieben dort nur für möglichst kurze Zeit, bis wir eine andere Wohnung gefunden hatten.

Auch in diesem Heim gab es permanent Krach. Die einheimischen Obdachlosen hingen den ganzen Tag über mit ihren Bierflaschen vor dem Haus herum, soffen, schlugen sich und schrien sich an. Dann hockten sie sich wieder hin und redeten weiter lallend aufeinander ein, als sei nichts gewesen.

Von den Niederhofener Bürgern trauten sich nur die Zeugen Jehovas zum Obdachlosenheim. Sie missionierten sogar dort. Schon am zweiten Tag klopften sie an meine Tür. Ich machte auf. Eine ältere Dame fragte mich mit einem seligen Lächeln im Gesicht, ob ich an Gott glaube.

»Was, wie bitte?«

»Sind Sie Muslim?«

»Ja. Wieso?«

»Wir helfen Menschen, den richtigen Weg zu Gott zu finden.«

»Ich nix verstehe Deutsch!«

»Kein Problem. Arabisch?«

»Ja.«

Sie hielt mir ein Heft entgegen mit dem Titel »Das Leben«.

»Hayat?«

Ich bekam glasige Augen und schlug die Tür zu.

Als ich mich nach einem Mittagsschlaf wieder gefangen hatte, ging ich hinüber zu meinem Nachbarn Marco, einem dreißigjährigen Äthiopier, der seit drei Jahren in diesem Heim wohnte. Er war ziemlich wirr im Kopf. Er erzählte mir, er mache seit einem Jahr eine Art Ausbildung bei den Zeugen Jehovas.

»Zwei Damen kommen wöchentlich zu mir und unterrichten mich. Eine tolle Sache. Den Sprachkurs gibt es umsonst. Ich genieße es, mit Frauen zu reden. Ich bin ein obdachloser Schwarzafrikaner. Welche Frau schaut mich schon an? Nur die gläubigen Damen, die für Gott leben, besuchen mich hier. Alle anderen würdigen mich keines Blickes.«

Mein Nachbar auf der anderen Zimmerseite war der Marokkaner Mohammed. Der, Frau Schulz, der mir beibrachte, wie man Zigaretten schnorrt. Auch er traf sich wöchentlich mit den Zeugen Jehovas. Er behauptete, dass Allah ihm eine wichtige Aufgabe im Hinblick auf die Damen gestellt habe. Er müsse versuchen, sie bei den wöchentlichen Treffen vom Islam zu überzeugen.

Schon nach wenigen Tagen im Obdachlosenheim war mir klar, dass ich hier so schnell wie möglich wieder wegmusste. So wie Marco und Mohammed wollte ich nicht enden. Ich bemühte mich, Frau Schulz, ging täglich zum Arbeitsamt und suchte einen Job. Ich war sogar dazu bereit, ein guter Burger oder Bürger im Burger King zu werden. Aber dann kam der 11. September, und es wurde unmöglich, einen Job auch nur in einer Fastfoodküche zu bekommen.

ICH ERINNERE MICH GENAU an diesen Tag. Ich lag im Bett und wachte gerade von meinem Mittagsschlaf auf. Ich starrte an die Decke und rauchte erst mal genüsslich eine Zigarette, als es plötzlich an die Tür hämmerte.

»Mach auf, du fauler Sack!« Das war Rafids Stimme.

Ich sprang aus dem Bett und machte die Tür auf. Ohne Begrüßung schubste er mich zur Seite. Seine Stimme überschlug sich.

»Es gibt eine Revolution in Amerika!«

»Was ist los? Hast du gekifft?«

»Mann, mach den Scheißfernseher an, wo ist die Fernbedienung?« Ich kramte sie aus meiner Bettwäsche hervor und schaltete ein. Wortlos zeigte Rafid auf die Bilder.

»Was passiert da?«, fragte ich ihn, weil ich nicht verstand, was der Nachrichtensprecher erklärte.

Noch wusste keiner, ob es sich um einen Putsch, einen Unfall oder einen terroristischen Anschlag handelte. Nur Spekulationen. Der Journalist, der immer wieder eingeblendet wurde, schien genauso überfordert wie wir.

»Sind das Linienflugzeuge mit Passagieren an Bord?«

»Glaub ich nicht«, sagte Rafid, ohne mich anzuschauen. »Vielleicht ein paar amerikanische Freiheitskämpfer. Weißt du, was das für Türme sind?«

»Nee. Vielleicht ist das was von der CIA?«

Obwohl wir schon viel erlebt hatten, Frau Schulz, hatten wir beide wirklich überhaupt keine Ahnung von der Welt. Und wir konnten in diesen Minuten noch nicht wissen, dass dieser Terroranschlag mehr Auswirkungen auf unser Leben haben würde als alles, was sich je zuvor ereignet hatte.

»Ich freue mich für die Amerikaner«, sagte Rafid irgendwann.

»Hm?«

»Endlich erleben sie das auch mal.«

Diese diffuse Genugtuung, liebe Frau Schulz, spürte ich anfangs auf gewisse Weise auch. Ich konnte mich nicht dagegen wehren, sie überkam mich einfach. Als Iraker war das auch kein Wunder. Von den Amerikanern kannte ich seit meiner Kindheit nur ihre Kampfflugzeuge, ihre Bomben und Raketen. Etwas anderes haben sie nie in meine Heimat mitgebracht.

Als ich jedoch im Laufe des Tages verstand, dass die beiden Türme nicht der CIA gehörten und dass in diesen Bürogebäuden keine Soldaten oder Spione gearbeitet hatten, und dass sich in den Flugzeugen ganz normale Passagiere befunden hatten, wurde ich unendlich melancholisch. Ich schwöre Ihnen, Frau Schulz, ich schämte mich für meine anfängliche Schadenfreude. Noch heute schäme ich mich dafür.

Nach diesem verdammten Tag wurde der wichtigste Ausdruck für uns Araber in Deutschland: verdächtig.

Ich hätte niemals gedacht, dass Terroristen, die sich in den Bergen des Hindukusch in Afghanistan versteckt hielten, mit ihren Anschlägen in den USA mein Leben im bayerischen Niederhofen komplett auf den Kopf stellen könnten. Aber auch das ist wohl Globalisierung.

Schon Ende September bekam ich Post von der Polizei. Ich solle zu einer Besprechung erscheinen und diese Einladung mitbringen. Das Gespräch fand in der Kriminalpolizeiinspektion Niederhofen statt.

Als ich ankam und den Mitteilungszettel vorzeigte, ließ man mich sofort hinein. Ein Polizist brachte mich in einen kleinen Raum und schloss die Tür. Ich war allein. Ich dachte, ich würde hier niemals wieder heil herauskommen. Was mir aber wahrhaftig Sorgen machte, liebe Frau Schulz, war die Vorstellung, dass ich mich wahrscheinlich wieder komplett vor den Bullen würde ausziehen müssen. Wieder werden sie grinsen, dachte ich, wenn sie meine Brüste erblicken, und wieder wird einer von ihnen seinen Stinkefinger in meinen Arsch schieben, diesmal, um nach Osama bin Laden zu suchen. Gleichzeitig kamen mir meine Sorgen albern vor. Die Welt drehte durch. Es begann ein internationaler Krieg gegen den Terror, in den alle mit hineingezogen wurden, ob sie wollten oder nicht. Und ich? Ich stand in der Kriminalpolizeiinspektion in Niederhofen. Ich wusste nicht, weshalb, aber in meinem Kopf ging es nur um meine verdammten Brüste.

Nach ein paar Minuten betraten drei Männer in Zivil das Zimmer. Einer war ein Dolmetscher, dessen libanesische Abstammung ich durch seinen Dialekt schnell erkannte. Er trug ein goldenes Kreuz um den Hals und war also sicher Christ. Ein Typ mit Vollbart und einer rötlichen Stirn stellte sich mir ohne Handschlag vor.

»Dr. Wurm, Mitarbeiter des Landeskriminalamts.«

Der dritte hatte eine Glatze und trug einen schwarzen Anzug. Er nickte nur mit dem Kopf, spielte mit einem Stift und sagte nichts. Als ich später Rafid von ihm erzählte, war der sich sicher, dass dieser Typ garantiert vom BND gewesen sei.

Dr. Wurm bat mich um ehrliche Antworten. Ich sei nicht verdächtig und das Gespräch nur eine Routineangelegenheit. Die drei Männer legten Hefte und Stifte auf den Tisch. Dr. Wurm öffnete dazu einen blauen Ordner und begann mich nach meinem Namen, meinem Beruf, nach meinen Eltern, Geschwistern und nach meinem Leben im Irak zu befragen. Eigentlich waren es dieselben Fragen wie bei der Verhandlung in Bayreuth, als ich den Asylantrag gestellt hatte. Irgendwann jedoch kamen Fragen zur Religion.

»Sind Sie Sunnit?«

»Nein, ich komme aus einer schiitischen Familie, bin selbst aber nicht religiös.«

»Schiit?«

»Ja.«

»Haben Sie Kontakte zu al-Qaida?«

»Wie bitte?«

»Haben Sie Kontakte zu al-Qaida?«

»Ich habe gesagt, dass ich Schiit bin. Al-Qaida ist eine sunnitische Organisation und tötet Schiiten, sie hält sie für verdorbene Muslime. Glauben Sie, ich habe Kontakt zu Menschen, die meine Familie und mich ermorden wollen?«

»Antworten Sie bitte auf meine Frage. Haben Sie Kontakte zu al-Qaida?«

»Nein.«

»Kennen Sie jemanden, der mit al-Qaida zusammenarbeitet oder Sympathie für die Organisation empfindet?«

»Nein.«

»Sind Sie ein Terrorist?«

Ich schwieg wohl einen Moment zu lang.

»Antworten Sie bitte auf meine Frage. Sind Sie ein Terrorist?«

»Verdammt noch mal, nein!«

»Haben Sie Bombenanschläge ausgeübt?«

»Nein, nein.«

»Haben Sie die Absicht, Attentate auszuüben oder ein Terrorist zu werden?«

»Nein, nein, nein.«

»Sind Sie bereit, mit dem deutschen Staat zusammenzuarbeiten?«

»Ich bin ein höflicher Mensch und helfe Ihnen gern, aber als Spion arbeite ich nicht.«

Irgendwann gab mir der Typ mit der Glatze, der bislang kein einziges Wort gesagt hatte, eine Liste von vierundvierzig als terroristisch eingestuften Organisationen und Parteien der Welt. Darunter war sogar die RAF. Ich musste auf der Liste markieren, ob ich diese Organisationen befürwortete oder Kontakte zu ihnen hätte und entweder Ja oder Nein ankreuzen. Vierundvierzigmal machte ich ein Kreuz bei Nein. Dann durfte ich gehen.

Auch alle anderen von uns wurden zu solchen Gesprächen eingeladen. Ich war in den nächsten Monaten sehr vorsichtig, weil ich Angst hatte, überwacht zu werden. Wenn ich telefonierte, sagte ich nie meine Meinung zu politischen und religiösen Themen, geschweige denn zu irgendetwas, was mit dem 11. September zu tun hatte. Ich kritisierte niemals Amerikaner, Europäer oder Deutsche. Auch über die Diktatoren in der arabischen Welt sprach ich nur noch selten, weil sie teilweise auf der Seite der Amerikaner waren.

Das war eine aufregende Zeit, Frau Schulz. Finden Sie auch? Alle drehten irgendwie durch. Einige von uns sind tatsächlich Deals mit dem Staat eingegangen und haben ihm Informationen über andere Flüchtlinge beschafft. Sogar die drei Mitglieder der H&M-Gang müssen sich auf so etwas eingelassen haben. Obwohl sie schon seit Jahren auf das Ergebnis ihres Asylantrags gewartet hatten und dieser aufgrund ihrer Vorstrafen hätte abgelehnt werden müssen, bekamen sie mit einem Mal alle drei eine Aufenthaltserlaubnis.

Ich wurde noch ein zweites Mal von der Polizei eingeladen. Das war kurz bevor die Amerikaner in meine Heimat, den Irak, einmarschierten. Wieder bekam ich exakt die gleichen Fragen gestellt.

Die Menschen wurden allem Fremden gegenüber skeptisch und ängstlich. Ost und West, Orient und Okzident, Osama und Bush. Viel zu viele Schlagzeilen und Meinungen geisterten uns allen wie Irrlichter in den Köpfen herum. Auch in den Buchhandlungen der Stadt veränderten sich die Auslagen. Islam und Terrorismus eroberten die Regale. Die Bücher hatten plötzlich Titel wie: *Propheten des Terrors, Aisha – Ich war die siebzehnte Frau des Imam* oder *Der Ex-Terrorist.*

Im deutschen Fernsehen tauchten jetzt oft Araber und Migranten auf, die gut Deutsch sprachen und erklärten, wie bösartig und gefährlich der Islam doch sein könne. Ich hatte sie in meiner ganzen Zeit zuvor in Deutschland noch nie in den Medien gesehen. Jetzt waren sie plötzlich überall, in Sondersendungen und Talkshows. Ihre deutschen Girokontos wuchsen in demselben Maße wie die Leichenberge in ihren Heimatländern. »Intellektuelle Vampire« nannten wir sie.

Die Welt drehte durch. Die Menschen drehten durch. Nicht nur wir Araber und Muslime waren verdächtig, auch für jeden herrenlos herumstehenden Koffer wurden ganze Stadtteile abgesperrt. Kampferprobte Spezialisten mussten gerufen werden, um sie aus dem Weg zu räumen. Jedes Gepäckstück der Welt und jeder zweite Mülleimer war plötzlich verdächtig.

Der ganze Irrsinn führte dazu, dass einige von uns fanatisch wurden. Ja, Frau Schulz, die bösen Muslime wurden jetzt tatsächlich böse.

Der Erste, den es erwischte, war Container-Ali. Er entwickelte sich innerhalb weniger Wochen von einem herzensguten Menschen zu einem Fundamentalisten. Er war schon immer gläubig gewesen, hatte aber nie ein Problem mit Menschen wie Rafid und mir gehabt. Im Gegenteil. Er hatte uns als seine Familie in Deutschland betrachtet. Aber ausgerechnet an Weihnachten war es dann so weit.

Rafid hatte Ali und mich an Heiligabend zu sich ins Asylantenheim eingeladen und wollte etwas für uns kochen. »Wir haben mit Weihnachten zwar nichts am Hut«, sagte er, »aber wenn alle feiern, können wir doch auch feiern.«

Ich freute mich auf den Abend in meiner alten Bude und brachte ein paar Dosen Bier mit. Als ich die zweite Dose aufmachte, hielt Ali es nicht mehr aus.

»Ich finde es nicht in Ordnung, was ihr tut.«

»Was denn?«

»Ihr macht alles, was sie von euch verlangen. Du trinkst doch nur Bier, damit sie dich in Ruhe lassen.«

»Was? Wer?«

»Die Christen, die Deutschen.« In Alis Augen schien mit einem Mal jahrtausendealtes Feuer zu brennen. »Warum verkauft ihr eure Kultur an Menschen, die euch verachten?«

»Welche Kultur?«, fragte Rafid.

»Unsere Kultur als Muslime. Wir werden hier misshandelt. Unsere Religion wird als eine Bestie dargestellt. Und ihr nehmt das einfach so hin? Ihr macht sogar mit?«

»Ali, machst du dich gerade lustig über uns?«, fragte Rafid.

»Nein, ihr macht euch lustig über unsere Kultur. Und ich verteidige sie.«

»Ich trinke Bier, weil es mir schmeckt. Nicht, um mich als Deutscher zu tarnen«, sagte ich.

Rafid drehte nun richtig auf und wurde wütend.

»Ali, du kannst nicht mal lesen und schreiben! Was verstehst du denn schon von Religion und Kultur? Was soll dieser Scheiß?«

Rafid schäumte richtig vor Wut und schlug den Kochtopf gegen die Wand. Die ganze Tomatensoße schwappte mit den Fleischstücken über den Topfrand auf den Küchenboden.

Ali stand auf und verließ ohne ein weiteres Wort das Zimmer.

Wie hatte das alles nur so weit kommen können? Unser Ali war jetzt also radikaler Muslim und schimpfte auf alles. Rafid war weltoffener Kosmopolit und schimpfte auch auf alles. Er schimpfte auf die Amerikaner, die Araber, die Muslime, die Christen und sogar auf mich. Und ich? Ich machte es mir gemütlich. Ich ließ Rafid wütend vor sich hin plappern, trank Dosenbier, aß Erdnüsse, hielt meine Klappe und schaute mir *Kevin – Allein zu Haus* an.

ALI WOLLTE SICH EIN PAAR TAGE SPÄTER noch mal mit uns treffen. Er entschuldigte sich für den seltsamen Vorfall, trank einen schwarzen Tee mit uns, sprach ansonsten kaum und ging dann wieder.

»Das war das letzte Mal, dass wir ihn gesehen haben«, sagte Rafid anschließend.

»Wie kommst du denn darauf?«

»Ich spüre es irgendwie. Wir haben ihn verloren.«

Was nicht stimmte, war, dass wir Ali seitdem nie wieder gesehen haben. Was aber der Wahrheit entsprach, war, dass unsere Beziehung zu Ali nie wieder so wie früher wurde.

Ali hatte nämlich in seinem Heim zwei Typen aufgetan, mit denen er fortan die Zeit totschlug. Es waren Iraker wie wir. Aber ihnen allen schien jemand mit dem Koran heftig auf den Kopf geschlagen zu haben. Drei religiös verbohrte Typen hingen da nun zusammen herum.

Obwohl Rafid und ich eine Menge Leute kannten, schafften wir es in Niederhofen nie, neue Freundschaften zu schließen. Alle Kontakte im Obdachlosenheim und in den beiden Asylantenheimen blieben sehr lose. Wir waren zu viert aus Bayreuth hierhergekommen. Nun waren wir nur noch zu zweit. Salim war nach München gezogen, und Ali war Turbomuslim geworden. Und so feierten wir auch unser erstes Silvester in Deutschland nur zu zweit.

Mit ein paar Bier und einer Flasche Wodka zogen wir durch die Bahnhofsstraße und vom Rathausplatz durch die Fußgängerzone in Richtung Ufer. Als wir dort ankamen, hatten Rafid und ich bereits alles ausgetrunken. Obwohl wir kaum noch sprechen konnten, wollten wir unbedingt noch eine letzte Flasche Bier besorgen, um sie dann um Punkt Mitternacht auf dem Asphalt zu zerschmettern. Irgendwie hielten wir diesen Akt in unseren alkoholvernebelten Köpfen für einen würdigen Abschluss des Jahres.

Leider waren jedoch alle Lebensmittelgeschäfte und Supermärkte längst geschlossen. Weit und breit fand sich kein offener Laden mehr. Die Kneipen und Bars entlang des Ufers waren zwar voll von betrunkenen Niederhofenern, aber das Bier kostete dort mehr als das Dreifache des Supermarktpreises. So marschierten wir weiter, in der Hoffnung, vielleicht doch noch irgendwo fündig zu werden.

Auf Höhe der Niederhofener Brücke fiel Rafid als letzte Rettung eine Tankstelle ein. Die hatten doch oft rund um die Uhr geöffnet. Und so suchten wir jemanden, der uns sagen konnte, wo die nächste Tankstelle zu finden war. Es war bereits Viertel vor zwölf.

Rafid war so betrunken, dass er jegliche Scheu verloren hatte, er ging direkt auf ein blondes Mädchen zu, das allein auf einer Mauer saß und eine Flasche Sekt neben sich stehen hatte.

»Schöne Frau! Wo ist die nächste Tankstelle?«

»Was willst du denn jetzt mit einer Tankstelle?« Sie lächelte. Das war schon mal ein gutes Zeichen.

»Ich will Alkohol kaufen!«

»Hier gibt es keine. Die nächste Tankstelle ist mindestens eine halbe Stunde Fußmarsch entfernt. Das schaffst du nicht mehr vor zwölf.«

»Was mache ich jetzt?«, lallte Rafid.

Der Abend ging weiter, wie er weitergehen musste. Rafid und diese Frau bandelten an. Sie hieß Annika. Um Mitternacht standen wir mit ihr auf der Brücke und tranken ihren Sekt.

Ein paar Stunden später ging Rafid mit Annika nach Hause, und ich kehrte allein in mein Obdachlosenheim zurück.

Am nächsten Tag kam Rafid vorbei, um mir alles zu erzählen.

»Heute Morgen bin ich aufgewacht und da lag sie mit ihrem glänzenden, milchfarbenen Körper neben mir im Bett. Ich überlegte kurz, sie aufzuwecken. Dann kam ich auf die Idee, zuerst eine Rose für sie zu besorgen. Ich suchte nach ihrem Wohnungsschlüssel, er steckte in der Eingangstür. Ich nahm ihn mit und ging. Die Straßen waren leer. Alle Geschäfte waren geschlossen. Ich schaute mich um und fand einen kleinen alten Stadtfriedhof. Dort ging ich hin und klaute irgendwo eine rote Rose, bedankte mich bei dem Grabbesitzer und eilte wieder zu Annikas Wohnung zurück.«

Rafid erzählte nur romantische Dinge. Mit ihren blauen Augen und ihren bayerischen Hüften hatte Annika es Rafid wirklich angetan. Zwei Wochen lang war er unentwegt mit ihr zusammen, er war unendlich glücklich.

Dann allerdings musste sie wieder zurück nach London. Sie studierte dort irgendetwas am King's College.

Zwar blieb sie noch eine Zeit lang mit Rafid in Kontakt, aber irgendwann meldete sie sich einfach nicht mehr. Vermutlich war ihr die Situation doch zu anstrengend. Rafid hatte ja kein Geld und durfte weder arbeiten noch reisen.

Meinen Freund hat das alles ziemlich mitgenommen. Wochenlang wollte er niemanden mehr sehen und war vom Leben enttäuscht. In dieser Zeit fing Rafid an zu schreiben.

Ich suchte unterdessen weiterhin nach einem Job. In meiner völligen Verzweiflung rief ich Salim in München an und bat ihn um Rat.

»Eine Zeitarbeitsfirma kann dir sicher helfen.«

»Was ist das denn?«

»Eine Firma, die für dich eine Arbeitsstelle findet. Sie schließen einen Vertrag mit dir, dann suchen sie für dich einen Job. Sie verleihen dich an andere Unternehmen, wenn diese kurzfristig eine Arbeitskraft benötigen. Zwar bekommt die Zeitarbeitsfirma ein bisschen was von deinem Gehalt ab, aber du bekommst dafür eben neue Jobs zugewiesen.«

Ich rief noch am selben Tag meinen zuständigen Sachbearbeiter im Arbeitsamt an und machte mit ihm einen Termin aus. Er gab mir drei Adressen in Niederhofen und sagte, ich solle direkt zu ihnen gehen. Ende Januar unterzeichnete ich einen Vertrag mit einer dieser Zeitarbeitsfirmen. Sie hieß Hoffmann & Söhne. Ich sollte 4,50 Euro pro Stunde verdienen.

Denn auch das hatte sich mit dem neuen Jahr verändert. Die D-Mark war abgeschafft worden und der Wechselkurs gesetzlich festgelegt. 1 Euro = 1,95583 Mark. Alles wurde schlagartig teurer. Ohne Hoffmann & Söhne hätte ich mich nicht mehr über Wasser halten können. Und schon nach ein paar Tagen bekam ich tatsächlich meinen ersten Job.

Die Eisenfabrik lag in einem Dorf vor Niederhofen, das Neuhofen heißt. Meine Aufgabe bestand darin, Eisenplatten zu zerschneiden. Ich stand vor einer riesigen Maschine und wartete darauf, dass mir andere Mitarbeiter die Eisenplatten brachten. Diese verfütterte ich an die Maschine, drückte einen grünen Knopf, und dann wurde es sehr laut. Ich musste die ganze Zeit über einen gelben Gehörschutz tragen.

Viele, die mit mir arbeiteten, waren kräftige Männer, deren Deutsch ich nicht verstand. Es war tiefstes Bayerisch. Die anderen waren Ausländer, hauptsächlich Osteuropäer, die ihre eigenen Cliquen hatten. Mit meinem geringen Wortschatz war es schwierig, mit den anderen zu kommunizieren. Fast vier Monate lang arbeitete ich in dieser Fabrik, kehrte jeden Abend erschöpft ins Obdachlosenheim zurück und hockte mich vor den Fernseher, bis ich irgendwann einschlief.

Am Ende meiner Zeit in der Eisenfabrik wollte ich unbedingt das Obdachlosenheim verlassen und suchte mir eine Wohnung. Jeden Samstagmorgen ging ich zum Redaktionsgebäude der *Niederhofener Neuen Presse*. Dort waren Schaukästen angebracht, in denen die aktuelle Ausgabe der Zeitung hing. Ich schrieb mir die relevanten Telefonnummern aus den Wohnungsanzeigen ab.

Alle, die ich anrief, fragten mich nach meiner Herkunft und beendeten das Gespräch oder drucksten herum. Es dauerte sieben Wochen, bis eine Dame mir erlaubte, eine

Wohnung zu besichtigen. Ich mietete diese winzige Einzimmerwohnung tatsächlich, obwohl sie für mich sehr teuer war. Dreihundertsechzig Euro warm. Sie lag zwischen einem OBI und einem Real-Markt, mitten im Industriegebiet.

Hoffmann & Söhne schickte mich zu einer neuen Arbeitsstelle. Diesmal in eine Shampoofabrik. Meine Arbeit war denkbar einfach. Ich stand vor einem Fließband und musste diejenigen Flaschen, die nicht gerade auf dem Förderband lagen, von Hand zurechtrücken, damit sie von der Maschine, auf die sie sich gerade zubewegten, einen Deckel verpasst bekommen konnten. Es war immer die gleiche Bewegung, die ich täglich wie ein Roboter verrichten musste. Das stundenlange Starren auf eine endlose Reihe stets gleich aussehender Shampooflaschen machte mich müde und unkonzentriert.

Mit mir am Band standen eine junge Iranerin namens Elham und Hilde, eine deutsche Frau um die fünfzig. Woche für Woche beschwerte sie sich über ihren Mann, der scheinbar fremdging, sie regelmäßig schlug und ihr Geld ausgab. Die Iranerin ignorierte mich völlig und sprach kaum ein Wort mit mir.

In dieser Fabrik blieb ich neun Wochen lang. Der Angestellte, den ich vertreten hatte und der aus gesundheitlichen Gründen nur beurlaubt gewesen war, kam zurück, und ich musste gehen. So waren die Spielregeln.

Bei der nächsten Arbeitsstelle konnte ich dann länger bleiben. Sechs Monate lang arbeitete ich für die Reinigungsfirma Cleanteam 2000. Mein Chef war ein Palästinenser. Schon am ersten Tag war klar, dass wir uns trotz unserer gemeinsamen Sprachebene überhaupt nicht vertragen würden. Er trug eine Armbanduhr mit einem farbigen Foto von Saddam Hussein auf dem Ziffernblatt. Andauernd nervte er mich.

»Der einzige echte Mann im Irak ist Saddam«, sagte er. »Ihr Iraker habt es nicht verdient, so einen tollen Mann als Führer zu haben. Du lässt ihn allein kämpfen und haust ab ins Ausland!«

Zum Glück liefen mein Boss und ich uns nur selten über den Weg. Er kontrollierte ab und zu unsere Arbeit und verschwand dann wieder.

Ich bekam drei Adressen zugewiesen, die ich täglich reinigen musste. Für die erste war ich allein zuständig. Von dreizehn bis sechzehn Uhr putzte ich den Flur eines privaten Krankenhauses, das fast immer leer war. Dann ging ich zum Redaktionsgebäude der *Niederhofener Neuen Presse*. Dort putzte ich zusammen mit Ioana, einer ungefähr sechzigjährigen Dame aus Bulgarien, von siebzehn bis zwanzig Uhr die Büros. Im selben Haus gehörte eine Etage der Allianz-Versicherung, die wir von einundzwanzig bis dreiundzwanzig Uhr putzten. Ioana war herzlich und hilfsbereit, konnte aber kein Deutsch. Ihr Wortschatz bestand lediglich aus ein paar Brocken: Ja. Nein. Danke. Bitte. Ciao. Saubermachen. Nicht saubermachen. Viel haben wir also nicht gesprochen.

Nach meinem letzten Arbeitstag bei Cleanteam 2000 ging ich zu meinem Boss und sagte: »Ich gehe bald in die Moschee und bete für euch Palästinenser, auf dass Allah euch einen Führer wie Saddam schenkt!« Dann spuckte ich ihm vor die Füße.

Ich hatte das Gefühl, liebe Frau Schulz, als würde ich von Tag zu Tag dümmer. Ich arbeitete unentwegt, kehrte erschöpft nach Hause zurück, aß Toastbrot mit Margarine und Ketchup, schaute fern und ging ins Bett. Nur am Wochenende unternahm ich manchmal etwas mit Rafid.

Außerdem hatte ich noch keinen einzigen Cent für meine Operation gespart und kein Geld an die Familie in Bagdad geschickt, die sehnlichst darauf wartete, dass ich ihr helfen würde. Mit meinem niedrigen Einkommen bekam ich weder das eine noch das andere hin.

Aber ich wollte alles tun, um das eine Jahr Arbeit vollzubekommen. Nur dann war das Arbeitsamt bereit, mir den Sprachkurs zu finanzieren. Immer wieder hatte ich Herrn Sepps Worte im Ohr.

»Das freut uns, dass Sie die Sprache lernen wollen. Sie müssen aber erst ein Jahr lang arbeiten und Steuern zahlen. Danach können wir Ihnen einen Sprachkurs finanzieren.«

Ich hielt mich daran. Im Februar 2003 hatte ich mein Jahr voll. Ich kündigte meinen Vertrag bei Hoffmann & Söhne und ging zum Arbeitsamt. Nach über zwei Jahren in Deutschland durfte ich nun tatsächlich einen Deutschkurs besuchen.

Sie können ruhig ein bisschen stolz auf mich sein, Frau Schulz. Das schafft nicht jeder.

FRAU SCHULZ, ENTSCHULDIGEN SIE MICH BITTE für einen Moment. Ich muss nur mal kurz nachschauen, ob Lada sich endlich gemeldet hat. Die blöde Kuh! Sie weiß doch, dass ich heute das Land verlassen werde. Trotzdem kommt sie nicht auf die Idee, mich anzurufen oder wenigstens eine dämliche SMS zu schreiben.

Ach Lada. Ich war ihr ausgeliefert. Hals über Kopf hatte ich mich in sie verliebt.

Zum ersten Mal richtig gesehen habe ich sie im Lidl. Ich stand da bei den Knabbersachen herum und starrte die Pistazien an, als sie mich plötzlich von der Seite ansprach.

»Du im Deutschkurs, oder?«

Da stand sie vor mir, Lada, ihre zweijährige Tochter an der Hand.

Lada ist eine unheimliche Schönheit. Sie ist ein bisschen größer als ich, sehr schlank, hat kurze blonde Haare, tiefbraune Augen und eine ganz weiß schimmernde Haut, als ob sie gerade aus einer Reklame für Nachtcremes käme.

»Ja.«

»Ich auch. Kommst du morgen? Kurs?«

»Ja, super.«

»Super.«

»Super.«

»Bis morgen.«

»Bis morgen.«

Am nächsten Morgen kam Lada direkt zu meinem Platz im Unterrichtsraum, küsste mich auf die Wange und setzte sich neben mich. Seitdem war ich verknallt.

Lada stammt aus der Sowjetunion und ist irgendwo auf dem Land in Weißrussland aufgewachsen. Da ihr Vater einen alten Lkw der Marke Lada fuhr und diesen über alles liebte, hatte er seine einzige Tochter einfach nach ihm benannt. Sie selbst hatte eigentlich nie daran gedacht, sich eines Tages in Deutschland oder irgendwo sonst in Europa niederzulassen. Aber die Krisen und Krawalle in ihrem Heimatland ließen ihr und ihrem Mann Dimitri keine Ruhe. Sie suchten nach einem Ausweg. Und sie fanden ihn. Sie sparten lange, bis ihnen jemand auf einem Amt für zwei Monatsgehälter ein Dokument aushändigte, das bestätigte, dass Lada jüdische Wurzeln habe. Sie hatten nämlich mitbekommen, dass Menschen mit jüdischen Wurzeln in Deutschland als Kontingentflüchtlinge sofort eine Aufenthaltserlaubnis bekamen. Ladas Großeltern waren, wie sie fortan behauptete, in der Nazizeit nach Russland ausgewandert und dort bis zu ihrem Tod geblieben. Sie hatte die beiden nie kennengelernt, und jüdisch war sie auch nicht erzogen worden, sondern christlich.

Es dauerte lange, bis sie die Formalitäten erledigt und den Bescheid von der Botschaft bekommen hatte. Seitdem gilt sie als deutsche Jüdin. Dimitri bekam auch eine Aufenthaltserlaubnis, weil er ihr Mann ist, obwohl auch er dem Christentum angehört.

Einmal sagte sie mir, dass viele aus der alten Sowjetunion ihre Papiere gefälscht hätten, um in Deutschland leben zu dürfen. Christen und Muslime aus der UdSSR erfanden deutsche Vorfahren. In ihrem Heimatland hatten einige Beamte und Polizisten ein richtiges Geschäftsmodell daraus gemacht. Jeder, der dafür zahlen konnte, konnte offiziell Jude werden und darüber eine staatliche Bestätigung erhalten. Solch ein Nachweis kostete je nach Aufwand zwischen zweitausend und zehntausend Dollar. Früher mussten die Juden ihre Herkunft verbergen, um zu überleben, und heute bezahlen Menschen Geld, um jüdisch zu werden. Die Welt ist seltsam, Frau Schulz, oder?

Ladas Leben in Deutschland ist nicht einfach. Sie kümmert sich um das Kind, lernt nebenbei Deutsch und arbeitet zusätzlich noch zwanzig Stunden wöchentlich als Reinigungskraft im Bezirkskrankenhaus Niederhofen. Und das, obwohl sie als Kontingentflüchtling noch zusätzliche Beihilfen vom Amt bekommt. Aber sie muss drei Menschen durchbringen. Denn Dimitri trinkt den ganzen Tag nur Bier und Wodka und klebt auf der Couch fest.

In meinem Herzen hat Lada Dinge bewegt, von deren Existenz ich zuvor nichts geahnt hatte. Es war wie bei einer neuen Sportart, wenn man durch den Muskelkater plötzlich Muskeln an Körperstellen bemerkt, die man noch nie zuvor gespürt hat. Ich war bereit, wirklich alles zu tun, nur um Lada glücklich zu machen.

In unserer Beziehung war Lada der starke Part und ich der Trottel. Das wusste und spürte ich von Anfang an, aber es war mir egal. Ich konnte ja nichts dagegen tun. Zum ersten Mal küssten wir uns an der Donau. Nach dem Unterricht feierten wir mit den anderen Schülern den Geburtstag unserer Lehrerin Frau Müllerschön. Lada und ich gingen danach noch allein am Flussufer spazieren und setzten uns auf eine Bank. Es dämmerte bereits und der Himmel verfärbte sich langsam in ein pastellfarbenes Rosa. Der Fluss plätscherte vergnügt unter unseren Füßen gegen die Böschung. Es war März und der erste etwas wärmere Tag im Jahr.

Ich fragte Lada, ob alles in Ordnung bei ihr sei, weil sie die ganze Zeit so abwesend wirkte. Sie fing an zu weinen.

»Dimitri hat mich gestern geschlagen.« Sie schob ihr T-Shirt hoch und zeigte mir die riesigen Hämatome am Rücken. »Mit seinem Gürtel. Er hat mir vorgeworfen, dass wir was miteinander haben, dabei habe ich dich nur ein, zwei Mal erwähnt.«

Ich schaute ihr in die Augen, und ohne nachzudenken, küsste ich sie auf einen blauen Fleck an ihrem Schlüsselbein. Sie blieb ruhig und schien das zu mögen. Dann trafen sich unsere Lippen.

Frau Schulz, ich weiß nicht genau, wie ich die Beziehung, die auf diesen Kuss folgte, beschreiben soll. Alles war wirr. Dimitri war immer in der Wohnung, wenn ich Lada besuchte, offiziell, um Deutsch mit ihr zu lernen. Jedes dieser Treffen begann damit, dass ich zunächst mit ihm Wodka und Bier zu trinken hatte. Der Kerl trank jedoch gar nicht, sondern war so etwas wie ein menschlicher Abfluss für Alkohol. Er schüttete literweise Wodka in seinen Bauch. Gegen zwanzig Uhr schlief er dann sturzbetrunken und schnarchend auf der Couch ein. Dimitri war nicht besonders groß und sehr dünn. Wie ein liebevoller Vater sein Kind, so trug ich ihn jedes Mal ins Bett, schloss die Tür hinter ihm und war dann allein mit Lada. Sie hatte meistens gerade das Gleiche mit ihrer Tochter Maja getan, sie ins Bett gelegt und in den Schlaf gesungen.

In den ersten drei Wochen, in denen ich sie zu Hause besuchte, ließ sie mich zappeln und wollte noch nicht mit mir schlafen. Wobei ich es zu diesem Zeitpunkt genau genommen selbst auch noch überhaupt nicht wollte. Ich hatte ja noch nie mit einer Frau geschlafen, liebe Frau Schulz. Und ich bin doch selbst so etwas wie eine halbe Frau.

So sehr ich Lada auch anfassen wollte, meine Brüste machten mich unsicher und ängstlich. Daher haben wir erst mal nur geknutscht und uns etwas gestreichelt. Sie bemerkte natürlich meine ungeübten Hände und meine Nervosität, deshalb bestimmte sie, wo es langging. Ich hatte mir oft vorgenommen, ihr zu sagen, dass ich noch Jungfrau war, aber mein Stolz als Mann ließ mich das nicht über die Lippen bringen. Ich wusste, dass sie es wusste, und das war mir peinlich genug. Peinlicher waren mir nur meine Brüste. Ich trug immer ein hautenges Unterhemd, das sie flach drückte, wenn ich zu ihr ging, und ich musste höllisch aufpassen, wenn wir uns berührten. Einmal, als sie versuchte, mir das Hemd auszuziehen, schlug ich etwas zu barsch ihre Hände zurück.

»Was ist?«, fragte sie.

»Ich will darüber nicht reden.«

»Hast du Narben? Ich hab es mir schon gedacht.«

»Ja.« Ich schwieg und dachte nach. »Ich wurde im Knast gefoltert. Es sieht schrecklich aus.«

»Es ist okay.«

»Danke.«

Ich wollte ihr so gern alles erzählen. Wie mir diese verdammten Brüste gewachsen waren und wie sie mein Leben auf den Kopf gestellt hatten. Aber ich konnte es nicht,

Frau Schulz. Ja, auch hierfür schäme ich mich. Sogar doppelt: für meine Brüste und dafür, dass ich eine schlimme Geschichte benutzt habe, um meine eigene schlimme Geschichte zu tarnen. Aber ehrlich gesagt war ich auch froh. Lada hat nämlich danach nie wieder versucht, mir das Hemd auszuziehen. Das hat unsere Bettgeschichte für mich sehr vereinfacht.

Unser erstes Mal hatten wir an einem Freitagabend. Dimitri betrank sich wie üblich bis zur Besinnungslosigkeit. Er schenkte dieses Mal auch Lada mehr Wodka nach als sonst und zwang sie zu trinken, nachdem sie das Kind ins Bett gebracht hatte.

»Ich will später noch lernen«, sagte sie.

Er lachte und wie üblich blitzte dabei sein etwas zu großer goldener Schneidezahn auf. Widerworte duldete er keine, er starrte Lada so lange an, bis sie den Wodka schließlich auf ex herunterkippte.

Gegen einundzwanzig Uhr trug ich Dimitri ins Schlafzimmer und deckte ihn zu. Ich weiß nicht recht, wieso ich mich so sehr um ihn kümmerte, denn eigentlich konnte ich ihn nicht ausstehen. Er war ein Nichtsnutz, ein brutaler Trunkenbold, der Lada regelmäßig verdrosch, und dafür hätte ich ihn am liebsten jetzt sofort mit dem Kissen erstickt. Aber plötzlich riss er seine blutunterlaufenen Augen auf und packte mich am Handgelenk.

»Ich will kein schwarzes Kind, hast du verstanden?«

Noch bevor ich etwas sagen konnte, schnarchte er wieder und drehte sich weg. Ich schloss die Tür und ging zurück ins Wohnzimmer. Lada lag auf dem Sofa. Ihren Kopf hatte sie unter einem Kissen versteckt, und sie maunzte und fauchte wie eine Katze. Ich setzte mich zu ihr.

»Dimitri weiß von uns?«

»Ich glaube schon.« Noch immer steckte ihr Kopf unter dem Kissen, ihre Stimme klang gedämpft.

»Ich dachte, er würde dich umbringen, wenn er es herausfände.«

»Er liebt mich. Und ich ihn. Er ist mein Mann und der Vater meines Kindes.«

»Und was bin ich?« Ich zog ihr das Kissen vom Gesicht und streichelte ihre kurzen Haare.

»Du bist betrunken.«

»Lada, ich meine es ernst. Was bin ich für dich?« Ich merkte, wie ich mit jedem Wort wütender wurde.

»Keine Ahnung, lass mich. Wenn es dir nicht gefällt, kannst du ja gehen.« Sie stieß mich von sich weg. »Du bist wirklich ein Schwächling.«

Ohne Vorwarnung warf ich mich auf sie, legte meine Hand um ihren Hals und drückte zu.

»Hör auf, mit mir zu spielen, hast du verstanden?«

Sie wand sich unter meinen Händen, versuchte, sich zu befreien. Ich drückte ihren Kopf fester auf das Kissen. Sie schlug mir ins Gesicht. Ich schlug ihr ebenfalls ins Gesicht. Ihr Körper bäumte sich auf, sie strampelte mit den Beinen. Ich drückte sie mit meinem ganzen Gewicht auf das Sofa, dann schlug ich wieder zu. Ich merkte, wie sie plötzlich nachgab und aufhörte zu kämpfen.

Sie fasste mir jetzt vorsichtig ins Gesicht, legte ihre Hand sanft auf meine Wange. Sie streckte mir ihren Mund entgegen und wir küssten uns fest.

Ich schob ihr Kleid hoch. Wie ein wildes Tier zerriss ich ihre Unterhose. Ich war erregt wie noch nie in meinem Leben. Tausend Gefühle, Frau Schulz, vermischten sich und tobten in mir. Ich packte Lada und drehte sie um. Von hinten machte ich sie mit meiner Zunge nass, schob dabei einen Finger in ihren Hintern. Dann machte ich meine Hose auf, spuckte auf meinen Penis. Langsam schob ich ihn in Ladas Po. Ich kam, noch bevor ich vollständig in ihr versunken war. Dann weinte ich. Vor Scham, vor Einsamkeit, vor Freude, vor Stolz, vor Schmerz, vor Trauer, vor Liebe. Ich blieb einfach in ihr, schlug ihr sanft auf den Hintern und weinte. Lada befriedigte sich dabei selbst. Und nachdem sie gekommen war, blieben wir noch lange fest umschlungen auf dem Sofa liegen und streichelten unsere Wunden.

Nach dieser Nacht war der Knoten zwischen Lada und mir geplatzt. Wir fühlten uns beide befreit. Ich lernte schnell, was genau sie im Bett wollte. Sie mochte ein sanftes, liebevolles Vorspiel voller inniger Küsse mit zärtlichem Streicheln und Schmusen, aber wenn es zur Sache ging, dann musste es so hart wie möglich sein. Das war für mich nicht so leicht, weil ich sonst der devote Part in unserer Beziehung war. Aber nach und nach fand ich in meine Rolle.

Ich fand im Lauf der Zeit auch heraus, wie ich es schaffte, länger durchzuhalten und nicht jedes Mal zu früh zu kommen. Ich musste immer an etwas völlig Unerotisches denken, um einen vorzeitigen Samenerguss zu verhindern. Es gab also Momente, in denen ich mit Lada zugange war, aber an Saddam Hussein dachte. Oder an Sie, Frau Schulz. Das wirkte Wunder.

Fast drei Monate lang dauerte unsere Beziehung, genauso lang wie der Sprachkurs. Dann änderte sich alles.

Als ich mal wieder mitten in der Nacht Ladas Haus verließ, hatte ich den Eindruck, dass jemand mich auf dem Weg zur Bushaltestelle mit dem Auto verfolgte. Ich dachte mir zuerst nichts dabei, stieg in den nächsten Bus und fuhr zu mir ins Industriegebiet. Dort stand wieder das Auto, kurz hinter der Haltestelle. Ich ging direkt darauf zu.

Vier Männer stiegen aus. Ich konnte ihre Gesichter in der Dunkelheit nicht erkennen. Sie sprachen Russisch miteinander. Sie sprangen auf mich zu und stießen mich zu Boden. Dann schlugen sie auf mich ein, bis ich bewusstlos wurde.

Als ich wieder zu mir kam, fühlte ich mich, als hätte mich ein Auto überrollt. Ich schleppte mich in meine Wohnung und ging sofort ins Bad. Im Spiegel sah ich ein fremdes Gesicht. Ein aufgequollener, rotblauer Frosch voller Blut mit einer Platzwunde unter dem rechten Auge. Ich wusch mich unter Schmerzen und legte mich ins Bett. Soweit ich noch durch meine zuschwellenden Augen sehen konnte, schrieb ich eine SMS an Lada.

»Freunde von Dimitri haben mich verprügelt. Was machen wir jetzt?«

Sie antwortete nicht. Stattdessen stand sie am nächsten Morgen vor meiner Tür.

»Ach du meine Scheiße!«, sagte sie, als sie mein zerschundenes Gesicht sah. »Geht es dir gut? Ich meine, hast du schlimme Verletzungen?« Sie wollte nach meinem Gesicht greifen, hielt sich dann jedoch zurück, um mir nicht noch mehr Schmerzen zuzufügen. »Willst du etwa zur Polizei?« Die Frage klang nicht so, als hielte sie das für eine gute Idee, sondern eher so, als hätte sie Angst um Dimitri.

»Was sollte ich der Polizei erzählen? Der Mann meiner

Freundin hat mich von Typen verprügeln lassen, die ich nicht einmal beschreiben kann? Natürlich mache ich das nicht. Die viel wichtigere Frage ist: Was wird jetzt aus uns?«

Ladas Gesichtsausdruck, ihre Stimme und ihre ganze Körperhaltung änderten sich mit einem Mal, sie wirkte eiskalt.

»Hör zu, Karim. Ich will nicht, dass du als Leiche endest. Meinen Mann werde ich nicht verlassen. Ein Kind braucht seinen Vater. Unsere Beziehung endet hier. Das ist besser für uns alle. Wir hatten unseren Spaß. Und ich muss jetzt zur Arbeit. Pass auf dich auf.«

Ohne sich noch einmal nach mir umzusehen, verschwand sie im Treppenhaus. Ich habe sie nie wieder gesehen. Ab und an schrieb ich ihr eine Nachricht, habe aber nie eine Antwort erhalten. Gestern habe ich ihr geschrieben, dass ich nun nach Finnland auswandern will.

Ich vermisse sie sehr. Mir fehlt alles an ihr. Ihre Lippen, ihr Lächeln, ihre Küsse, ihre Tränen, ihre Härte. Ich sollte keinen Gedanken mehr an Lada verschwenden. In Finnland wartet eine neue Frau auf mich, Frau Schulz. So viel steht fest.

Ich liege noch immer auf dem Sofa. Ich weiß überhaupt nicht, ob ich gerade träume oder nur total bekifft bin.

Unmengen von Bildern und Erinnerungen stürzen auf mich ein.

Unzählige Menschen eilen flüchtig an mir vorbei und fallen übereinander. Ich bin ein Baum. Ich stehe im Boden verwurzelt. Alles dreht sich. Orte verschwinden, tauchen auf und reisen wieder fort. Ich sitze in einem Zug am Fenster. Ich rase durch den Raum. Ich rase durch die Zeit.

Ein Mann setzt sich aufs Sofa. Vor seinem Gesicht steht dichter Nebel. Nur langsam löst er sich auf. Ich kann nichts erkennen. Aber ich rieche es. Früher hat er täglich dieses Rasierwasser benutzt. Das ist sein Rasierwasser. Was macht er hier?

»Halim, Bruder?«, sage ich.

Ich kann meine Tränen nicht zurückhalten. Seit Ewigkeiten habe ich ihn nicht gesehen. Seit er in den Krieg gezogen ist. Oh, wie sehr ich ihn vermisse! Aber jetzt ist er da. Da sitzt er doch. Er lebt.

Ich versuche ihn zu berühren. Ich will ihn umarmen. Aber ich kann mich gar nicht bewegen.

»Ich bin ein Baum, Bruder, ich kann mich nicht bewegen. Komm zu mir, bitte!«

Halim lächelt.

Aber dann löst er sich langsam auf. Ich sehe gerade noch, wie der letzte Teil von ihm, sein Schuh, durch die Decke fliegt und verschwindet.

»Bleib hier, bitte! Halim!«

Da sind auch meine Eltern. Meine Mutter. In ihrem Gesicht sind alle Gefühle dieser Welt versammelt. Sie guckt so voller Demut.

»Dein Bruder ist als Soldat gefallen, mein Junge!«

»Mutter? Bist du es?«

Dann sitze ich wieder in einem Zug am Fenster. Ich rase durch den Raum. Ich rase durch die Zeit. Alles eilt vorbei.

Ich bin in meinem Zimmer in Bagdad. Ich sehe mich selbst. Als würde es mich zweimal geben. Ich beobachte mich, bin selbst aber nicht bei mir. Ich bin da, aber auch nicht. Ich kann nicht mit mir sprechen. Wer ist der, der da sitzt? Er schreit sehr laut. Gott, meine Ohren tun mir weh. Ich verstehe nicht, was er sagt. Was für eine Sprache spricht er? Schon wieder sitze ich im Zug. Draußen kann ich nichts erkennen. Ich weiß nicht, wo ich bin.

Dann sehe ich meinen Vater. Wir spazieren gemeinsam durch München. Er redet auf mich ein.

»Geh und komm nie wieder! Hier ist nur der Tod alltäglich.«

Deutsche Polizisten verfolgen uns. Wir rennen. Als ich mich nach ihm umdrehe, ist er verschwunden.

Ich bin wieder in Salims Wohnung. Noch immer liege ich auf dem Sofa. Bin ich wirklich bekifft? Ich muss doch gleich nach Finnland. Wo ist Salim überhaupt? Ich habe Hunger.

»Salim?«

MEIN SPRACHKURS IN DEUTSCHLAND begann, ungefähr drei Wochen bevor die Amerikaner in den Irak einmarschierten. Ich war sehr motiviert und wollte alles tadellos machen, liebe Frau Schulz. Ich hatte mir ein Heft gekauft, ein paar Bleistifte, einen Radiergummi, einen Spitzer und einen schwarzen Rucksack. Jeden Morgen wachte ich gegen sieben Uhr auf, machte mich zurecht und fuhr mit dem Bus in die Schule. Ich war ein richtiger deutscher Schuljunge.

Nur das Schulgebäude war kein echtes Schulgebäude. Sondern ein großer Raum in der umgebauten Scheune eines Bauernhofs im Norden der Stadt. Mit weiteren sechzehn Schülern, hauptsächlich Senioren, die wie Lada aus der alten Sowjetunion stammten, widmete ich mich fortan täglich sechs Stunden den deutschen Personalpronomen, den trennbaren und untrennbaren Verben, den Adjektiven und den Präpositionen. In den ersten zwanzig Tagen war ich der beste Schüler. Ich war ein wahrhaftiger Streber und wollte alles lernen. Schließlich hatte ich zwei Jahre lang auf diesen Kurs gewartet.

Aber bald schon nannte Frau Müllerschön mich einen »faulen Sack«. Und das fing an, als in meinem Heimatland der Krieg begann. Ich machte meine Hausaufgaben nicht mehr und war mit meinen Gedanken meist woanders. Ab und zu zwang mich in der Anfangszeit noch Lada, mit ihr auf ihrem Sofa zu lernen, doch ich wollte lieber mit ihr fliehen, mich in ihren Körper vergraben, die Außenwelt vergessen.

Es war jetzt wahrlich kompliziert. Schon vor diesem Krieg war es das gewesen. Aber nun noch mehr, Frau Schulz. Die Amerikaner hatten in den vergangenen Monaten alle irakischen Oppositionellen im Exil kontaktiert, von den Kommunisten bis zu den kleinen schiitischen und kurdischen Parteien, die sich dann mit ihnen zusammengesetzt und besprochen hatten, wie man einen Krieg führen könnte, um das Ende des Saddam-Regimes herbeizuführen. Sogar bis zu uns nach Niederhofen hatte sich das herumgesprochen.

Ich war durcheinander, machte mir Sorgen um meine Familie in Bagdad, die schon wieder einen neuen Krieg erleben sollte. Auch Rafid, der normalerweise immer eine klare Position vertrat, war verwirrt.

»Wir stecken in einer absurden Zwickmühle. Entweder ertragen wir weiterhin eine beschissene Diktatur, die unsere Seelen zerstört. Oder wir ziehen mit den USA in einen beschissenen Krieg, der unser Land zerstört. Wir sollen plötzlich wählen zwischen Scheiße und Scheiße. Und ich kann mich verdammt noch mal nicht entscheiden, Karim.«

In diesen Wochen ging ich zum ersten Mal in meinem Leben auf eine Demonstration. Studenten der Niederhofener Universität hatten sie organisiert. Wir, Rafid und ich, marschierten mit ungefähr siebenhundert wildfremden Menschen und schimpften auf die Amerikaner. Ein paar Glatzen kamen mit ihren deutschen Flaggen dazu und brüllten ebenfalls mit. Um uns herum standen bis an die Zähne bewaffnete Bereitschaftspolizisten und beobachteten jeden unserer Schritte.

Die Flüchtlinge von Niederhofen stritten sich an jenem Tag heftig miteinander. Auch auf der Demonstration. Einige, die mitliefen, verteidigten nämlich die Absichten der USA und begrüßten den Einmarsch. Einer bezeichnete Bush als den einzigen Propheten unserer Zeit. Er wollte Rafid sogar verprügeln, weil dieser seine Sichtweise nicht nachvollziehen konnte.

»Ich bin gegen die Diktatur«, sagte Rafid. »Aber auch gegen diesen Krieg.«

»Entweder bist du mit uns oder gegen uns! Wir wollen deinen intellektuellen Quatsch nicht hören!«

»Verpiss dich!«

Rafid wurde daraufhin von einem anderen Asylanten ins Gesicht gespuckt. Wir verließen die Demonstration und fuhren mit dem Bus zu mir ins Industriegebiet.

Ich schaltete den Fernseher ein und wir guckten Nachrichten. In einer Sendung war an jenem Tag ein irakischer Autor zu Gast, der wie wir in Deutschland lebte und seine Bücher auf Deutsch schrieb.

»Höchstwahrscheinlich werden viele Iraker in diesem Krieg ihr Leben verlieren«, sagte er. »Aber noch mehr können nach dem Krieg endlich ein normales Leben führen, ohne die Diktatur. Wir opfern einige, damit der Rest überleben kann. Wir haben keine Wahl. Wenn wenig Fleisch da ist, nennt man die Kutteln gutes Futter. Wir müssen mit den Amerikanern zusammenarbeiten.«

»Genau so wie dieser Autor«, sagte Rafid, »denken fast alle Iraker in Niederhofen. Und vielleicht auf der ganzen

Welt. Aber keiner will daran denken, dass unter diesen Menschen, die geopfert werden sollen, die eigene Familie sein könnte.«

Ich schwieg.

»Wir haben ein echtes Problem, Karim. Wir waten so lange schon durch den Sumpf aus Diktatur, Krieg und Embargo, dass wir kraftlos sind. Eigentlich ist es uns inzwischen völlig gleichgültig, wer uns hilft. Ob die Saudis oder die Amis, das spielt keine Rolle mehr. Die meisten wollen nur noch gerettet werden. Und das ist gefährlich.«

Am nächsten Tag gingen wir wieder auf die Straße und demonstrierten. Wir versuchten diesmal, den anderen Flüchtlingen aus dem Weg zu gehen. Wir skandierten vor dem Rathaus mit einigen jungen Studenten und Punks allerlei Parolen sowohl gegen Saddam als auch gegen Bush. Aber auch bei dieser Demonstration herrschte keine Einigkeit unter den Teilnehmern.

Eine ältere Frau, die einen Palästinenserschal trug, sah uns für längere Zeit befremdet an, als wären wir Außerirdische, die auf dem falschen Planeten gelandet waren, weil wir abwechselnd Bush und Saddam verbal in die Tonne kloppten. Irgendwann kam sie direkt zu uns.

»Seid ihr Iraker?«

»Ja.«

»Was ihr hier tut, ist eine Schande für eure Heimat. Saddam ist der Einzige, der den Imperialisten die Stirn bietet.«

»Er ist ein Diktator«, sagte ich.

»Wie willst du das beweisen?«

»Bitte, was?«

»Das ist doch alles nur kapitalistische Propaganda!«

Ich sah, wie Rafid kurz davor war, der Frau an die Gurgel zu gehen. Ich packte ihn an den Schultern und schob ihn langsam weiter.

»Lassen Sie uns in Ruhe!«

Die ersten Bomben auf Bagdad fielen an einem Donnerstag. Die Kampfflugzeuge zerstörten schnell alle Brücken und das Elektrizitätswerk. Sie überzogen das Land mit Angriffen auf alle wichtigen Militärstützpunkte und Verwaltungsgebäude. Der Kampf eskalierte von Tag zu Tag.

Ich guckte jede freie Minute Nachrichten und verfolgte den Krieg. Ich konnte meine Eltern telefonisch nicht mehr erreichen. Ich starrte in den Fernseher und hoffte, dass die Raketen nicht in dem Viertel niedergingen, in dem meine Familie wohnte.

In jener Zeit befand ich mich in einer Kapsel. Ich war weder optimistisch noch pessimistisch, sondern fühlte mich seelisch wie betäubt und suchte ununterbrochen nach Ablenkung. Tagsüber besuchte ich die Schule, nachmittags schaute ich die Nachrichten, manchmal trank ich am Abend Wodka mit Dimitri, und dann hatte ich Sex mit seiner Frau Lada. Gegen Mitternacht kehrte ich nach Hause zurück, schaute wieder Nachrichten, ging schlafen und immer so weiter. Dort fiel eine Bombe. Hier wurde Wodka getrunken. Dort starb ein Mensch. Hier wurde eine Unterhose ausgezogen. Dort wurde ein Kind verletzt. Hier hatte ich einen Orgasmus. Es war skurril. Alles fand gleichzeitig statt. Und alles schien gleichzeitig in mir stattzufinden.

Wenn ich zufällig abends einmal nicht bei Lada war, traf ich mich mit Rafid und wir schauten die Nachrichten gemeinsam. Rafid war pessimistisch und behauptete, dieser Krieg sei das Ende aller Träume für die nächsten vier bis fünf Generationen im Irak. Er machte keine Witze mehr und wurde sehr ernst, rauchte eine Zigarette nach der anderen und war oft schweigsam.

Der Krieg war schneller entschieden, als wir dachten. Nach zweieinhalb Wochen fiel die große Statue Saddam Husseins am Firdos-Platz in Bagdad. Hier in Niederhofen, Frau Schulz, in meiner Wohnung zwischen dem OBI und dem Real-Markt, standen Rafid und ich in meinem Zimmer und schauten uns gemeinsam die Bilder an. Wir weinten und umarmten uns.

Im Mai wurde der Krieg im Irak offiziell für beendet erklärt. Im September aber begann für uns in Deutschland ein neuer Krieg. Die Behörden feuerten jetzt eine Widerrufrakete nach der anderen auf uns irakische Asylanten.

Sie, Frau Schulz. Sie schickten meine.

WISSEN SIE, FRAU SCHULZ, wie Saddam Hussein den ersten Golfkrieg von 1991 nannte? »Um-al-Maarek«. Das heißt so viel wie »Mutter aller Kriege«. Die irakische Bevölkerung allerdings bezeichnete den Krieg nach der Kapitulation spöttisch als »Mutter aller Niederlagen«.

Der neue Krieg von 2003 hingegen wurde vom Präsidenten auf den Namen »Um-al-Hawasim«, »Mutter aller Entscheidungen«, getauft. Nach seinem Sturz plünderten die Armen und die Diebe im Land alle Behörden, Museen und Banken. Seitdem wird der Krieg von der Bevölkerung als »Mutter aller Räuber« bezeichnet.

Wenn ich mein zurückliegendes Jahr in Deutschland beschreiben sollte, Frau Schulz, ich würde es »Mutter aller Misserfolge« nennen.

In diesem verdammten Jahr hörte sogar unser Spaßvogel Rafid endgültig auf, Scherze zu machen. Im August kam er in die Psychiatrie Mainkofen. Bevor er dort landete, stellte er allerlei verrückte Sachen an. Derzeit ist er durch die harten Medikamente etwas entspannter. Er schimpft nicht mehr, bewegt sich kaum, hat auch keine absurden Ideen und macht nicht mehr so viel Krach wie zuvor. Sein Gehirn befindet sich in einer Art Winterschlaf.

Ich hatte früher immer gedacht, ich würde ihn gut

kennen und wir seien beste Freunde. Salim hatte uns oft als »zwei Backen des gleichen Hinterns in einer Unterhose« bezeichnet, »keiner von euch existiert ohne den anderen«. Die Wahrheit ist jedoch, dass ich nur sein Leben in Deutschland kannte. Über seine Vergangenheit weiß ich nicht viel.

Rafid war eine geheimnisvolle und eigenartige Figur und mit allen Wassern gewaschen. Wären die Umstände seines Lebens andere gewesen, er wäre ganz gewiss eine legendäre und berühmte Persönlichkeit geworden. Aber wo hätte er diese Chance erhalten können, Frau Schulz? Im Chaos der irakischen Kriege etwa – oder im unter Paragrafen und Ängsten begrabenen Deutschland?

Ich glaube, nur die Schreiberei war der Grund, wieso er nicht früher verrückt wurde. Schon in Bayreuth hatte man ihn Rafid Bleistift genannt, weil er ständig einen Stift hinter dem Ohr trug.

In seinen Schriften findet sich bestimmt eine Antwort auf die Frage, warum er heute im Irrenhaus hockt. Diese Texte hat jedoch bedauerlicherweise keiner von uns jemals lesen können.

»Ich gebe dir den Roman, wenn er fertig ist.«

Das hat Rafid immer gesagt, wenn ich ihn darauf angesprochen habe. Er wurde jedoch nie fertig. Ich nehme an, Rafid hat all seine Notizen, zwei vollgestopfte Kisten, in die Mülltonne geworfen. Zumindest haben wir sie nirgends in seinem Zimmer gefunden.

Es war unheimlich schwierig für ihn, in der Fremde zu schreiben. Er besaß zum Beispiel keine historischen und lexikalischen Hilfsmittel auf Arabisch. Oft fragte er andere Bewohner im Heim nach konkreten Ereignissen, Namen oder Daten und freute sich wie ein Kind, wenn er die Informationen bekam, die er suchte.

In Niederhofen gab es außerdem keine Buchhandlungen, die fremdsprachige Bücher verkauften. Wir hörten, es gebe solche Buchläden in Großstädten wie Hamburg, Köln oder Berlin. Er wollte immer in eine dieser Städte fahren und diese Geschäfte besuchen.

Schon vor ungefähr zwei Jahren jedoch war sein Asylantrag abgelehnt worden, genau wie der von Container-Ali. Seitdem hockte er mit einer Duldung im Obdachlosenheim. Aber auch wenn er von dort aus eine Möglichkeit gefunden hätte, an Nachschlagewerke heranzukommen, hätte er sie nicht kaufen können. Ein Buch wie *Die Geschichte der Iraker*, das er dringend haben wollte, kostet mindestens fünfundzwanzig Euro. Und eine vernünftige öffentliche Bibliothek mit fremdsprachigen Werken gab es in Niederhofen nicht.

»Wenn ich meine Situation genau betrachte und dabei etwas übertreibe«, sagte er einmal, »begehe ich mit meiner Schreiberei eine klare Straftat, weil ich sechs bis acht Stunden täglich an meinem Buch arbeite. Berücksichtigt man die Gesetzeslage, ist das verboten, denn ich habe keine Arbeitserlaubnis. Wenn das Werk fertig ist, veröffentlicht und sich gut verkaufen wird, lande ich vermutlich im Knast. Gemäß Schwarzarbeitsbekämpfungsgesetz! In der Heimat durfte ich zwar schreiben, so viel ich wollte, aber ich musste mich selbst zensieren, wenn ich nicht sterben wollte. Hier in der deutschen Demokratie dagegen ist schon mein Schreibversuch an sich ein Verbrechen!«

Ja, Frau Schulz, da hatte Rafid noch seinen Humor, den wir alle so liebten. Und weil er so gewitzt war, entdeckte er eines Tages eine Quelle, der Informationen zu entlocken waren.

Die Filiale der Sparkasse Niederhofen in der Fußgängerzone hatte einen PC mit Internetzugang im Vorraum aufgestellt. Er stand mitten im Raum vor den Geldautomaten. Kostenfrei durfte dort jeder surfen. Natürlich wollten viele Mädels, Jungs, Obdachlose, Asylanten und Ausländer der Stadt das Internet ausprobieren. Eine ruhige Stunde vor diesem Computer zu verbringen war wirklich unmöglich.

Einmal stritt sich Foad von der H&M-Bande wegen dieses Geräts mit einem Mädchen. Foad wollte nicht aufhören zu surfen, obwohl das Mädchen schon lange wartete. Er beschimpfte es. Das Mädchen rief seinen Freund an, der rief seine Freunde an und schließlich kam es zu einer Schlägerei. Die Polizei tauchte auf und nahm alle mit. Nach diesem Ereignis wurde das Internet im Vorraum der Bank für zwei Wochen ausgeschaltet. Ein Streit in der Sparkasse bedeutete für Rafid: keine Recherchen mehr.

Wie wir alle, wusste er anfangs nicht, wie man einen Computer benutzt. Wir hatten vorher nie einen Rechner gesehen, und das Internet kam uns vor wie ein Dschinn, ein magischer Flaschengeist, der Informationen aus der gesamten Welt herbeizaubern konnte. In den ersten Tagen ging Rafid deshalb mit einem Freund in die Sparkasse, der schon etwas mehr Ahnung hatte. Der erklärte ihm alles, bis Rafid es selbstständig schaffte, im Internet nach Namen und Daten zu suchen. Das größte Problem war, dass der PC keine arabische Tastatur hatte. So musste Rafid jedes Mal zuerst ein Online-Keyboard aufrufen, das

Wort auf Arabisch schreiben, es kopieren, dann zur Suchmaschine wechseln, es dort wieder einfügen und auf »Suche« drücken.

Sie können sich vorstellen, Frau Schulz, wie lange er vor diesem Internetautomaten stand. Manchmal musste er ein, zwei Stunden warten, bis die anderen Nutzer fertig waren, dann erst konnte er seine Recherche beginnen. Es dauerte jedoch nicht lange, bis neue Interessierte in die Sparkasse kamen und sich hinter ihm anstellten. Das setzte ihn natürlich unter Druck. Er wollte alles schnell erledigen, rasch den Text vor sich auf dem Bildschirm überfliegen und die relevantesten Informationen per Hand abschreiben. Nach einem einzigen historischen Ereignis zu suchen konnte für ihn bedeuten, einen halben Tag im Vorraum der Sparkasse zu verbringen. Die meiste Zeit mit Warten.

Einen eigenen Internetzugang zu haben war ihm aufgrund der monatlichen Kosten nicht möglich. Es wäre aber auch nicht erlaubt gewesen. Der Beamte im Sozialamt, den Rafid fragte, ob er ihm beim Erwerb eines Internetanschlusses helfen würde, sagte ihm, das sei zu viel Luxus für »eine geduldete obdachlose Person«, deshalb könne er ihm nicht helfen.

Einen gebrauchten Computer bekam Rafid allerdings umsonst. Nicht vom Sozialamt, sondern von mir. Als ich im Niederhofener Wertstoffhof arbeitete, gelang es mir, einen Computer aus einem der Container zu fischen und herauszuschmuggeln. Leider war das Ding lauter als ein Staubsauger und langsamer als eine Schildkröte. Außerdem ohne Schreibprogramm und ohne arabische Tastatur. Rafid schrieb letztlich alles mit der Hand. Aber auch seine Notizhefte stammten von mir – oder genauer: vom Niederhofener Wertstoffhof.

Rafids Asylantrag wurde ein halbes Jahr nach dem 11. September abgelehnt, und mit einem Mal wurde alles katastrophal in seinem Leben. Dabei war er wahrscheinlich der Einzige im Asylantenheim, der wirklich ein politisches Problem in der Heimat gehabt hatte. Er behauptete immer, es sei sein größter Fehler gewesen, dass er dem Richter die Wahrheit erzählt habe. Welche Wahrheit meinte er? Keiner wusste irgendetwas Genaues.

Er bekam lediglich eine Duldung, musste ins Obdachlosenheim umziehen und durfte nichts anderes tun, als sich zu langweilen.

Er wollte jedoch nicht aufgeben, kontaktierte einen Rechtsanwalt und versuchte, sich gegen den Bescheid zu wehren. Auch das Arbeitsamt verklagte er, weil er keine Arbeitserlaubnis bekam. Das alles zog sich ein paar Monate lang hin, und am Ende hatte er rein gar nichts erreicht.

Auch der Versuch, weiterzustudieren, scheiterte. Dabei hatte er seinen Bachelor-Abschluss der Universität Bagdad an die Anerkennungsstelle in Bayern geschickt. Im Irak hatte er schon acht Semester Englische Literatur und zwei Semester Deutsch studiert. Nur drei Semester davon wurden ihm anerkannt. Er versuchte, sich trotzdem an der Universität in Niederhofen zu immatrikulieren. Die gaben ihm jedoch keine Zulassung, weil er keine Aufenthaltserlaubnis hatte. Rafids Leben war plötzlich ein Teufelskreis voller Sackgassen.

Letztendlich zog er sich zurück und verbrachte die Zeit mit der Schreiberei.

Richtig verrückt wurde er aber erst in den Monaten nach Ausbruch des Irakkriegs. Es war an einem Sonntag im Frühsommer. Rafid stellte sich vor den Niederhofener Dom und warf nacheinander sieben Steine auf die schöne Bischofskirche.

»Hier versteckt sich der Teufel!«, rief er bei jedem Wurf.

Die Passanten schauten ihn ängstlich und verwirrt an. Und er? Stolz wie ein Ritter aus dem Mittelalter kehrte er zurück in sein Obdachlosenheim.

Keiner von uns verstand, wieso Rafid dem Satan in Niederbayern nachjagte. Ausgerechnet hier in Ihrer Heimat, Frau Schulz. Denn das Ritual des Steinewerfens ist im Grunde genommen das Ziel der Wallfahrt, wenn die Muslime nach Mekka pilgern. Dort gibt es eine Steinsäule in Mina, die den Höllenfürsten symbolisiert. Gegen diese Säule, und damit gegen den Teufel, sollen die Gläubigen sieben vorher gesammelte Steine werfen.

Nach diesem skurrilen Sonntag nahm Rafid innerhalb kurzer Zeit mindestens zehn Kilo ab. Er sah abgemagert aus, nur noch Haut und Knochen. Die Augen funkelten irr, als ob sie unsichtbare Gestalten erblickten. Er wurde aggressiv und jagte Menschen Angst ein. Zwei von uns waren in großer Sorge, weil er gedroht hatte, ihnen die Kehle durchzuschneiden. Sie erzählten mir, dass Rafid anscheinend alle Landsmänner in Niederhofen verdächtig erschienen. Er behauptete, sie seien Spione der großen Mächte.

Eines Nachmittags besuchte ich ihn in seinem Zimmer und wollte mit ihm über die Beschwerden über ihn reden, die in den Tagen zuvor haufenweise zu mir durchgedrungen waren.

»Welche Mächte meinst du, mein Lieber?«, fragte ich ihn.

»Das verstehst du nicht, Karim.«

»Dann hilf mir bitte, es zu begreifen. Ich bin's doch, dein Freund.«

»Sie wollen verhindern, dass ich die absolute Wahrheit des Universums erkenne.«

»Aber du warst doch immer gegen jeden Absolutismus.«

»Ich war blind, Karim. Ihr aber leidet noch immer unter der Dunkelheit im Herzen. Wenn das Herz blind ist, hilft auch das schärfste Auge nicht.«

»Wer sind die, die dich aufhalten wollen?«

»Sie sind überall.«

»Wer sind sie? Erzähl mir von ihnen.«

»Ich kann sie dir zeigen. Komm mit!«

Ich war überrascht, dass er mir seine Feinde offenbaren wollte. Damit hatte ich nicht gerechnet. Wir gingen also nach draußen. Misstrauisch schaute er nach links, dann nach rechts und beobachtete die Gegend, als würde er verfolgt. Nach einem halbstündigen Fußmarsch, bei dem wir uns anschwiegen, erreichten wir die Niederhofener Fußgängerzone.

»Hast du gehört, was die Frau eben zu mir gesagt hat?«

Rafids Augen verdrehten sich, als würde er jeden Moment ohnmächtig. Er zeigte auf eine blonde Frau, die gerade an uns vorbeigegangen war.

»Was wollte sie? Ich habe nicht aufgepasst.«

»›Wir sind hinter dir her, Rafid‹. Das sagte sie. Und der Mann hier?«

»Wer?«

»Der alte Mann mit dem bayerischen Hut. Er sagte: ›Wir wissen alles über dich.‹«

Es war bedrückend, ihn in diesem Zustand zu sehen und ihm überhaupt nicht helfen zu können. Ich dachte, es wäre nur eine kurze Phase und alles wäre bald vorbei. Es wurde aber immer schlimmer, liebe Frau Schulz.

Einmal rief er mich mitten in der Nacht an.

»Ich habe etwas entdeckt. Komm sofort zu mir!«, sagte er und legte auf.

Als ich bei ihm ankam und sein Zimmer betrat, war ich entsetzt. Nur der Fernseher lief. Auf alle Lichter, Glühbirnen, Lampen, Herdbeleuchtungen, Stromschalter und Steckdosen hatte Rafid Taschentücher und Klopapier geklebt.

»Was soll das denn, Rafid?«

»Pssst!«

»Was?«

»Sie hören uns, sie überwachen uns, sie spionieren mir nach.«

»Wer, verdammt noch mal?«

»Der BND, die CIA, der MOSSAD und der saudische al-Muchabarat al-'Aámah.«

»Die alle beschatten dich?«

»Ja.«

»Wieso denn? Bist du auf einmal so wichtig?«

»Weil ich weiß, dass er da ist. Und bald wird die Weltrevolution beginnen.«

»Du redest wirres Zeug.«

»Sei geduldig und hör mir zu. Du bist sehr unruhig.«

»Okay, okay!«

Er schaute mich so intensiv an, als wäre er ein anderer

Mensch geworden. »Er hat sich im Bermudadreieck in der Karibik versteckt. Dort sind unendlich viele Schiffe, Flugzeuge und ihre Besatzungen spurlos verschwunden. Kein Mensch kann erklären, wieso. In letzter Zeit ist mir klar geworden, dass das Bermudadreieck die Grüne Insel ist, auf der sich Imam Mahdi versteckt.«

»Imam Mahdi?«

»Ja, unser Befreier. Bald kommt er und alle werden friedlich miteinander leben, sogar die Schafe werden mit den Wölfen im Wald friedlich spazieren gehen.«

»Schafe und Wölfe?«

Ich dachte zeitweilig ernsthaft, Rafid würde mich nur auf den Arm nehmen. Er hatte sich schon immer gut mit Religion ausgekannt, aber ich hatte nicht gewusst, dass er gläubig war. Nun sprach er nur noch vom Erlöser. Nicht von Ihrem Jesus, Frau Schulz. Sondern von Imam Mahdi. Jeder kennt ihn. Im neunten Jahrhundert soll er einfach so verschwunden sein. Er war der zwölfte Imam der Schiiten. Seitdem warten wir auf seine Wiederkehr, damit er Gerechtigkeit in die Welt bringt und die Menschheit vor dem Bösen errettet.

»Der Teufel plant seine Kriege an drei Orten. Im Weißen Haus, in der Knesset und im Muchabarat-Palast der Saudis. Die Sunniten haben nämlich Angst, dass die Menschheit ihren Glauben als falsch erkennt, wenn der Imam auftaucht. Sie verleugnen seine Wiederkehr. Die Israelis sind die Experten im Bereich des Vorhersagens. Ihre Religion ist die Älteste und in ihren Büchern steht alles geschrieben. Sie wussten damals von Jesus, noch bevor er geboren wurde, auch von Mohammed, und sie wissen, dass Imam Mahdi bald tatsächlich kommt. Sie brachten

Jesus um und kämpften gegen den Propheten Mohammed, jetzt versuchen sie, unseren Erlöser zu stoppen. Und die Amerikaner wollen keine andere Macht neben sich sehen, sie wollen allein über die Welt herrschen. Sie wissen, dass der Imam im Irak verschwunden ist und dort auch wieder auftauchen wird. Sie schicken ihre Waffen und Soldaten immer wieder hin, um ihn aufzuhalten. Alle zwölf Jahre marschieren die Amerikaner in den Irak ein, weil sie wissen, dass unser Imam alle zwölf Jahre versucht zurückzukehren: 1979, 1991, 2003. Die Amerikaner sind immer da, um die Rückkehr des Imams zu verhindern. Aber ab jetzt arbeiten wir an einem neuen Plan. Wir arbeiten daran, zu verhindern, dass die Amerikaner 2015 wieder in den Irak kommen.«

»Ich bin mir nicht sicher, Rafid.«

»Doch. Und weißt du, warum alle zwölf Jahre?«

»Nein, aber –«

»Mahdi ist der zwölfte Imam der Schiiten und darf seine Ziele nur in einem einzigen Jahr erreichen. Die anderen elf Jahre sind die Jahre der anderen Imame. Er wird auch nur ein Jahr lang mit uns sein. In diesen zwölf Monaten wird er die Welt retten. Voraussetzung ist aber, dass er einen starken schiitischen Irak vorfindet. Nur dann kann er mit dem universalen Aufstand beginnen. Aber wie soll er das schaffen, wenn die Amerikaner den Irak immer genau dann zerstören? Wir müssen unbedingt verhindern, dass die Amerikaner in zwölf Jahren wieder im Irak sind. Das wird kein einfaches Jahr werden. Aber dieses Mal werden wir uns vorbereiten. Imam Mahdi hat Kontakt mit vielen Menschen wie mir aufgenommen. Wir müssen alle anderen darüber aufklären, wo sich der Teufel versteckt. Nur wenn unsere Feinde ihren Einfluss verlieren, werden wir endlich Ruhe und Frieden im ganzen Universum erlangen.«

Es war ein sehr trauriger Abend, Frau Schulz. Ich war ganz erschöpft. Rafid schwieg von jetzt auf gleich und schaute weiter fern, als sei ich nicht mehr im Raum. Er schien überhaupt nicht müde zu werden. Hoch konzentriert schaute er sich die nächtliche Wiederholung einer Tierdokumentation an. Als ich ihm Gute Nacht sagte und sein Zimmer verließ, reagierte er nicht.

Drei Wochen lang blieb Rafid in seiner Welt voller Botschaften und Geheimdienste. Er hatte täglich eine neue Theorie über den Weltuntergang.

Eine Woche lang etwa beschäftigte er sich mit den Zahlen in der Stadt. Er suchte nach Symbolen und analysierte sie auf eine fürchterliche Art. Er fuhr tagelang mit der Linie 12 hin und her und dachte, Imam Mahdi würde ihm in diesem Bus begegnen. Auch alle Häuser im Zentrum, die diese Nummer besaßen, beobachtete er. Er meinte, darin wohnten die Frauen und Männer der Revolution. Nur in der Haitzinger Straße hielt er vor der Hausnummer 24 inne, in der ein Bordell untergebracht war. Er meinte, dieses Freudenhaus sei nur eine Ablenkung. Zweimal die Zwölf hätte nämlich eine besondere Bedeutung: Das sei das Hauptbüro, das Herz der internationalen Bewegung des Imams in Deutschland. Letztlich hatten alle Zahlen für Rafid plötzlich alle möglichen Bedeutungen. Ich konnte sie mir nicht alle merken. Ich erinnere mich nur noch, dass die Siebzehn die Zahl des Teufels war. Vielleicht, weil die Niederhofener Polizeiinspektion in der Hauptstraße 17 liegt.

Rafid beleidigte in jener Zeit viele Menschen. Einen italienischen Obdachlosen aus dem Heim verdächtigte er, ein Spion des BND zu sein. Rafid nervte ihn so lange, bis der Italiener seine Geduld verlor und ihm eine reinhauen wollte. Er hämmerte an Rafids Zimmertür und brüllte: »Ausländer raus!« Rafid verschanzte sich unter seinem Bett.

Irgendwann wollte ich all dem ein Ende setzen. Mir war klar, dass Rafid nicht mehr der alte, liebenswürdige Kerl war, den ich kannte, und dass er das wohl auch nie mehr werden würde. Ich ging zur Caritas und sprach mit Frau Mohmadi.

Die arme Frau war überfordert. »Ich weiß, dass er Hilfe braucht«, sagte sie zu mir. »Vor Kurzem tauchte er hier auf, sah ungewaschen und miserabel aus. Er sagte, er könne uns bei der Caritas mit Übersetzungen oder Dolmetschen helfen. Er behauptete, er beherrsche zwölf Sprachen perfekt, darunter Hebräisch, Chinesisch und Russisch. Und als ich ihn fragte, woher er plötzlich alle diese Sprachen könne, antwortete er, die Lyrik habe ihm geholfen. Er sei mit mehreren Gedichtbänden in verschiedenen Originalsprachen unter die Dusche gegangen. Die Schrift, die Buchstaben und die Verse würden seitdem durch seinen Körper und seine Seele fließen. Auf diese Art könne er jede Sprache lernen.«

»Ich schlage vor, ihn sofort zwangseinweisen zu lassen.«

»Das geht nicht. Er muss das freiwillig tun. Wir können uns nur einmischen, wenn er eine Straftat begeht.«

Und das tat Rafid dann auch. Er ging mit einem Messer zur Ausländerbehörde, um Sie, Frau Schulz, umzubringen.

Jetzt erinnern Sie sich bestimmt an ihn, oder? Er glaubte, Sie hätten seine Akte an al-Qaida weitergeleitet. Und die hätten daraufhin seine ganze Familie in Bagdad in die Luft gejagt.

In der Psychiatrie gilt Rafid als gefährlich, er wird rund um die Uhr mit Medikamenten vollgepumpt und überwacht. Es war nicht einfach, einen Termin bei ihm zu bekommen. Immer wenn ich dort anrief, hörte ich dieselbe Antwort am anderen Ende der Leitung. »Besuchsverbot.«

Wochenlang versuchte ich es vergebens. Eines Tages im Oktober meinte dann der Arzt, es könne helfen, wenn Rafid nach und nach wieder an die Außenwelt herangeführt würde. Frau Mohmadi von der Caritas vereinbarte für mich den Termin im Bezirksklinikum Mainkofen in Deggendorf.

Ich war pünktlich. Ein Sicherheitstyp begleitete mich von der Rezeption zu einem großen Saal. Dort wartete ich einige Zeit lang und wurde schließlich von einer jungen Frau abgeholt. Sie führte mich in ein Besucherzimmer und ging dann wieder. Der Raum war nicht sehr groß. Ich setzte mich an den einzigen Tisch und betrachtete das Gemälde an der ansonsten kahlen weißen Wand. Es waren die *Zwölf Sonnenblumen in einer Vase* von Vincent van Gogh. Ich zählte sie mehrmals durch.

Dann drückte jemand mit dem Rücken die Glastür auf. Rafid wurde von einer Pflegerin in einem Rollstuhl ins Zimmer geschoben. Sie stellte ihn mir gegenüber ab und ließ uns allein.

»Guten Tag, mein Freund.«

Rafid schaute mich nicht an, seine Augen konzentrierten sich auf das Fenster. Sein Gesicht war blass. Leichtes Zittern in den Händen. Tiefe, schwarze Augenringe, als hätte er tagelang nicht geschlafen.

»Ich bin es, Karim.«

Endlich bewegte er sich. Er schaute mich aber noch immer nicht an, sondern auf den Fußboden. Sein Kopf wackelte hin und her.

»Rafid. Bruderherz.«

Es kam keine Reaktion.

Ich konnte in diesem Moment meine Tränen nicht zurückhalten, Frau Schulz.

Ich stand kurz auf, schaute durch die Glastür auf die weiße Welt der Psychiatrie. Alles war ruhig. Ich hatte immer gedacht, in Irrenhäusern wäre es chaotisch und ohrenbetäubend laut. So wie im Asylantenheim. Aber wie sollten die Irren ihr verrücktes Theater erzeugen, wenn sie wie Rafid mit Medikamenten vollgestopft sind? Ich wischte mir die Tränen aus den Augen und setzte mich wieder an den Tisch.

»Was hältst du davon, wenn ich dir erzähle, was in Niederhofen und in unserem Leben passiert ist, seit du weg bist? Du hast wirklich viel verpasst, mein Freund.«

»...«

»Ich beginne mit unserem ewigen Albtraum, mit der Heimat. Bist du einverstanden?«

»...«

»Saddam versteckt sich immer noch irgendwo, keiner weiß, wo er sich befindet. Terroristen sind ins Land gekommen, aus allen Ecken der Welt. Die neuen Politiker streiten sich untereinander und verschlimmern die Lage. Die Infrastruktur funktioniert nicht, es gibt ständig Stromausfälle, die bis zu vierundzwanzig Stunden dauern, verunreinigtes Leitungswasser, katastrophale medizinische Versorgung, unberechenbare Milizen und auf den Straßen fast täglich Explosionen, Anschläge und Selbstmordattentate. Und die Amerikaner? Sie führen dort ein niemals enden wollendes Duell mit ihren Feinden. Erinnerst du dich, wie man früher in der Schule jemanden zum Zweikampf herausgefordert und sich außerhalb der Schulmauern verabredet hat? Genauso läuft das jetzt. Alle Politiker der Welt, die außerhalb ihrer Grenzen mal jemanden verprügeln wollen, kommen nun in den Irak. Saudis gegen Iraner, Demokraten gegen Terroristen, Muslime gegen Christen, Türken gegen Kurden, Saddamisten gegen Nicht-Saddamisten, alle. Ich schwöre dir, Rafid, du hattest recht. Wenn zwischen Außerirdischen und Erdbewohnern ein Krieg ausbricht, wird dieser in Bagdad stattfinden. Wir haben ein wunderschönes Heimatland, nicht wahr?«

»…«

»In Deutschland haben wir zurzeit unermessliche Schwierigkeiten. Sei froh, dass du hier im Irrenhaus erst einmal in Sicherheit bist, Rafid. Die Behörden jagen uns und behaupten, es gebe keinen Grund mehr für uns, in der Bundesrepublik zu bleiben, die Demokratie habe nun ja durch die Amerikaner unser Land erreicht. Unzählige haben bereits einen Widerruf bekommen. Die Rechtsanwälte verdienen hervorragend an uns. Für Saddam-Anhänger dagegen ist jetzt alles ganz einfach, die können hier leben. Die Deutschen werfen also uns raus und lassen unsere Faschisten rein. Die Baathisten machen es jetzt wie die Nazis nach dem Zweiten Weltkrieg, die mit Gold und Geld nach Argentinien abgehauen sind. Das Argentinien der irakischen Faschisten ist nun Bayern.«

»...«

»Du hast Glück, mein lieber Bleistift! Aus gesundheitlichen Gründen darf man dich nirgendwohin abschieben. Ich aber muss leider weg. Ich habe einen Widerruf bekommen. Vermutlich werde ich bald abhauen. Nach Finnland, Kanada oder Australien oder vielleicht auch nach Fidschi. Mal schauen, was sich ergibt. Ich muss zuerst einen Schlepper finden. Nächste Woche fahre ich nach München und werde eine Weile bei Salim wohnen. Der ist gerade aus Bagdad zurückgekommen. Er hatte so großes Heimweh, dass er unbedingt seine Familie besuchen wollte. Dabei hat er immer noch den blauen Asylpass, mit dem er alle Länder besuchen darf, nur den Irak nicht. Es gibt aber Tricks, Rafid, wie man mit diesem Pass trotzdem einreisen kann. Salim hat Hilfe von den irakischen Kurden in Syrien bekommen. Er flog zuerst nach Damaskus, dort bekam er von den Kurden ein Papier ausgehändigt, mit dem er in den Irak ein- und ausreisen konnte, ohne seinen Pass abgestempelt zu bekommen. Das kostete nur fünfzig Dollar. Offiziell sollte er nur in Damaskus sein. In Wahrheit war er aber längst auch in Bagdad. Jetzt ist er wieder zurück in München. In Bagdad hat er schlechte Dinge erlebt. Mal gucken, ob er mir davon erzählen wird, wenn ich bei ihm bin. Am Telefon wollte er nicht darüber sprechen. Er ist immer noch so still und ruhig, wie du ihn kanntest. Zurzeit sucht er eine Braut. Ich glaube, das wird dauern, bis der eine Frau findet. Er ist einfach zu schüchtern und eine so schweigsame Person. Hauptsache, es geht ihm gut. Das ist das Wichtigste.«

»…«

Die Pflegerin klopfte und machte kurz die Tür auf. »Sie haben noch fünf Minuten.«

»…«

»Okay, mein Freund. Was soll ich dir noch sagen? Ich weiß es nicht. Unser Leben in Deutschland endet jetzt, genau hier, obwohl es nie wirklich angefangen hat. Es ist unser Schicksal und daran können wir nichts ändern.

Wir sind alle wie die geschmacklosen und billigen Produkte aus dem Ausland, die man bei Aldi und Lidl finden kann. Wir werden mit dem Lastwagen hierhergeschleppt wie Bananen oder Rinder, werden aufgestellt, sortiert, aufgeteilt und billig verkauft. Was übrig bleibt, kommt in den Müll.

Ich gehe jetzt.

Ruh dich gut aus, mein lieber Bleistift. Hoffentlich sehen wir uns bald wieder!«

LIEBE FRAU SCHULZ, als ich die Psychiatrie verließ, musste ich mich erst mal hinsetzen. Direkt vor dem Haupteingang waren ein paar Bänke und es gab einen kleinen Springbrunnen. Kein Mensch war hier, keine Irren, keine Ärzte, keine anderen Besucher. Nicht einmal ein Spatz auf den Dächern der Klinik oder eine verlorene Katze in dieser sauberen künstlichen Oase.

Ich war erschöpft. Auf der einen Seite fühlte ich eine tiefe Traurigkeit in mir, auf der anderen Seite war ich froh, Rafid überhaupt noch einmal gesehen zu haben. Ich zündete mir eine Zigarette nach der anderen an, schaute in den grauen Himmel über mir und weinte. Ich weiß nicht, wie lang ich dort saß. Irgendwann jedoch begann es zu regnen und meine Tränen hörten von selbst auf zu fließen. Ich stand auf und ging zum Bahnhof.

Eine Woche später nahm ich meinen schwarzen Rucksack, den ich mir für den Sprachkurs gekauft hatte, und packte ein paar Klamotten hinein. Ich ließ alles hinter mir. Die Wohnung und die zusammengesammelten Möbel, die Freunde, die Bekannten, die Kollegen, die Donau, die Asylanten, die Niederhofener, die niederbayerischen Polizisten und die Ausländerbehörde. Ich stieg in den Zug und fuhr zu Salim nach München.

Das war es, Frau Schulz, das war meine Zeit in Deutschland. Drei Jahre und vier Monate habe ich hier gelebt. In Dachau, in Zirndorf, in Bayreuth, in Niederhofen an der Donau und in München. Es geschah viel in dieser Zeit, aber nichts, worauf ich stolz bin.

Noch immer bin ich kein normaler Mann, noch immer habe ich die verdammten Brüste. Wissen Sie was? Hätte ich früher angefangen schwarzzuarbeiten, hätte ich die Operation vermutlich längst finanzieren können. Aber ich bin eben doch ein aufrichtiger Trottel. Alles, was ich erreicht habe, ist ein gigantisches Nichts. Der Einzige, der sich freut, ist mein Schlepper Abu Salwan.

Statt in der Universität war ich im Obdachlosenheim, in der Goethemoschee und im Enlil. Statt mit Studenten und Professoren gab ich mich mit Kriminellen, Fanatikern und Strichern ab. Und jetzt? Ich stehe wieder ganz am Anfang. Wieder muss ich mit einem Schlepper weiterziehen, die ganze Prozedur und Sinnlosigkeit beginnt wieder bei Null. Was würden Sie an meiner Stelle tun, Frau Schulz? Ich habe keine Wahl, obwohl dieser Planet riesig ist. In Bagdad konnte ich nicht bleiben, in Deutschland darf ich nicht bleiben. Mal gucken, was in Finnland passiert. Wer weiß, ob ich überhaupt bis Finnland komme. Diesen Schleppern ist ja nicht zu trauen. Nach Frankreich habe ich es auch nicht geschafft.

Ach, wissen Sie was? Ich will einfach nur nach Hause. Ich halte das nicht mehr aus. Ich drehe uns noch einen Joint, ja?

»Karim Charab Allmanya! Wach auf!«

»Was? Was ist los?«

»Scheiß-Haschisch!«

»Ich bin doch nur erschöpft.«

»Alles okay? Bist du wach?«

»Lass mich! Du nervst!«

»Seit du in München bist, kiffst du wie ein Weltmeister.«

»Mann, geh weg aus meinem Gehirn!«

»Gehirn? Wenn du überhaupt eins hast, dann ist es sicherlich schon kleiner als eine Nuss.«

»Ich schwöre, derjenige, der dich Salim die Ruhe genannt hat, war ein Dummkopf. Du bist Salim Krach. Mit dir gibt es keine Ruhe!«

»Steh auf jetzt! Geh ins Bad und mach dich fertig!«

»Was?«

»Verdammt noch mal, beweg deinen Hintern! Abu Salwan kommt gleich!«

»Scheiße.«

»Dann bekommst du eine Briefmarke auf die Stirn geklebt, und es geht ab nach Finnland.«

»Ja, ist ja gut.«

»Ich hab uns in der Küche was zu essen vorbereitet. Steh auf, bevor es kalt wird!«

»Ja.«

Mein Gott, was ist mit mir los? Mein krankes Hirn. Ich sitze in Salims Wohnung. Wo ist Frau Schulz? Oh Mann. Es riecht nach Fleisch, Zwiebeln und Knoblauch. Ich höre arabische Musik. Alles ist gut. Alles wird gut.

Halt! Frau Schulz, wo sind Sie? Sind Sie abgehauen? Wir sind doch längst noch nicht fertig. Aber wo wollen Sie sich schon verstecken?

Ich schwöre bei Allah und allen Arschlöchern des Himmels: Irgendwann werde ich Sie erwischen und ohrfeigen.